Dagmar Kohlmann-Scheerer

Kontern – aber wie?

Dagmar Kohlmann-Scheerer

Kontern – aber wie?

*Gekonnt kontern,
frech parieren,
den anderen
»niederschweigen«*

Die Deutsche Bibliothek – CIP-Einheitsaufnahme

Ein Titelsatz für diese Publikation ist bei der
Deutschen Bibliothek erhältlich.

Lektorat: Susanne von Ahn, Hasloh
Umschlaggestaltung: +malsy Kommunikation und Gestaltung, Bremen
Umschlagmotiv: +malsy Kommunikation und Gestaltung, Bremen
Satz und Layout: image team, Bremen
Druck: Salzland Druck, Staßfurt

© 2001 GABAL Verlag GmbH, Offenbach

Verlagsinformationen:
Jünger Verlagsgruppe, Schumannstaße 161, 63069 Offenbach
Tel.: 0 69 / 84 00 03-0   Fax: 0 69 / 84 00 03-33

Inhaltsverzeichnis

Einleitung

Sprache und Körpersprache wichtig
Dieser Leitfaden des *gekonnten Konterns* entstand aus der Anregung meiner Seminarteilnehmer. Sie hatten den Wunsch, das im Seminar *„Gekonnt Kontern"* Erlebte und Gehörte noch einmal nachlesen zu können. Für den von mir schon jahrelang verwendeten Titel *„Gekonnt kontern"* hatte dann leider schon ein anderer Verlag Titelschutz beantragt, sodass dieses Buch jetzt *„Kontern – aber wie?!"* heißt.

Sie werden nach der Lektüre des Buches um viele Ideen reicher sein, wie Sie aus einer Situation heraus schnell und treffend reagieren können. Erwarten Sie aber nicht, im Handumdrehen ein Profi im Kontern zu werden. Denn neben einem Repertoire an passenden Antworten gilt es beim verbalen Schlagabtausch Folgendes zu beachten: Erstens müssen Ihre Körperhaltung, Ihre Stimme, Ihre Mimik, Ihr Auftreten, Ihre Haltung, Ihr Blick, also Ihr ganzer Körper, zu dem passen, was Sie sagen. Mehr noch, das Gesagte muss dadurch getragen werden. Zweitens müssen Sie Fantasie, Kreativität, eine gesunde Portion Frechheit, Mut und Albernheit zulassen oder erlernen. Erst in dieser Kombination werden Sie zu einem gelassenen, unangreifbaren, schlagfertigen Menschen.

Unterordnung zieht Angriffe an
Ein Mauerblümchen bleibt ein Mauerblümchen und wird auch weiter so behandelt, selbst wenn es einmal die Jahrhundertantwort gefunden hat. „Subdominante Menschen" (also Menschen, die sich in untergeordneten Rollen befinden) rufen oft durch ihre demütige oder sich

selbst klein machende Haltung bissige Hunde auf den Plan. Wer seinen Buckel zum Schlag hinstreckt, der wird erwartungsgemäß einen „draufbekommen". Wer ständig dem Blick anderer ausweicht und hilflos und unsicher wirkt, wird in Verhandlungen eher auseinander genommen als jemand, der genau diese Merkmale nicht zeigt.

In diesem Buch erfahren Sie deshalb zunächst einiges Wissenswertes aus Physiologie und Psychologie: Wie reagiert Ihr Körper bei einem verbalen Angriff? Wie arbeitet das Gehirn? Sie erhalten Hinweise, wie Sie sich selbst besser kennen lernen und wie Sie Ihr Selbstbewusstsein trainieren können. Auf dieser Basis zeige ich Ihnen dann Möglichkeiten auf, wie Sie in unterschiedlichen Situationen „gekonnt kontern".

Sie nehmen teil am Spiel des Lebens und Sie entscheiden, ob Sie an den Spielregeln mitbasteln oder ob Sie Mitläufer bleiben. Das heißt nicht, ab morgen arrogant, draufgängerisch und aufgeblasen zu werden – nein, werden oder bleiben Sie selbstbestimmt und gelassen, egal in welcher Situation. Es wird Ihnen gelingen. Dazu wünsche ich Ihnen Erfolg.

Das Spiel des Lebens mitbestimmen

Kontaktadresse:
Dagmar Kohlmann-Scheerer
DKS-Training
Tölzer Strasse 13
82008 Unterhaching
Fon: 089-811 58 95
Fax: 089-811 27 62
E-Mail: info@dks-training.de
Internet: www.dks-training.de

1. Wie reagiert Ihr Körper auf einen Angriff?

Der Wunsch, spontan zu reagieren

Vermutlich kennen Sie die Situation, Sie werden plötzlich verbal angegriffen und sind vor Überraschung völlig sprachlos. Sie schnappen hörbar nach Luft – die Empörung steht Ihnen ins Gesicht geschrieben. Jetzt – und nur jetzt – würden Sie gern schlagfertig kontern. Doch bis Ihnen etwas einfällt, ist der „Gegner" schon wieder weg. Entweder führen Sie noch Stunden später innere Selbstgespräche oder Sie kochen weiter vor Zorn und nehmen sich vor, beim nächsten Mal aber garantiert die richtige Antwort parat zu haben.

Stellen Sie sich vor, Sie (weiblichen Geschlechts) gehen auf dem Flur Ihres Unternehmens arglos Richtung Kaffeeküche und begegnen auf diesem Weg Ihrem „Lieblingskollegen". Er grinst schon von weitem und auf gleicher Höhe mit Ihnen sagt er: „Bist du dicker geworden oder passt dir diese Hose einfach nicht?"

Psychische Reaktion:
Blanke Wut und der Wunsch, hier eine grandiose Antwort auf der Zunge zu haben.
Körperliche Reaktion:
Die Synapsen im Hirn klappen schlagartig zu und nichts geht mehr – Blackout! Der Puls beschleunigt sich, die Hände werden feucht, das Gesicht rötet sich.

Freuen Sie sich – Ihr Körper reagiert sehr vernünftig und normal. Er schüttet „nur" *Adrenalin* oder *Noradrenalin* aus. Hormone, welche uns die notwendige Kraft (nicht die Intelligenz) zu einer körperlichen Reaktion verleihen. Dieser Prozess wird vom Stammhirn gesteuert. Dazu ist es verpflichtet, denn es hat die Aufgabe, für unser Überleben zu sorgen. Wenn Sie jetzt dem Kollegen kommentarlos eine Backpfeife gegeben hätten, hätten Sie (durch die Bewegung) das dafür bereitgestellte Adrenalin verbraucht und Ihr Körper wäre glücklich und zufrieden.

Hormonelle Reaktion

Was es damit auf sich hat, verdeutlicht folgendes Beispiel aus der Urzeit der Menschheit:

Stellen Sie sich vor, Sie sitzen als NeandertalerIn inmitten Ihres Clans vor dem Lagerfeuer und brutzeln eine Wildsau. Das Fell lose um die Schulter gelegt, die Keule ruht neben Ihnen ... Plötzlich hören Sie ein Geräusch – Sie halten inne und lauschen. Einer Ihrer Kameraden hat auch etwas gehört und sagt: „Ruhe mal, ich habe was gehört." Ein anderer sagt: „Was du auch immer hörst!" Ein dritter sagt: „Ja, das war ein herunterfallender Ast." Sie sagen: „Nein, es kann auch der Berglöwe sein, denn der schleicht schon die ganze Zeit in der Gegend herum." Ihr Gegenüber meint: „Nein, das ist der verfeindete Stamm, ich habe schon vor langer Zeit die Rauchzeichen gesehen." „Ach was du dir immer einbildest", sagt der andere wieder und widmet sich in aller Gelassenheit der Wildsau. Die Diskussion geht noch ein wenig hin und her. Plötzlich bricht aus dem Gebüsch tatsächlich der verfeindete Stamm heraus und versucht Sie alle zu ermorden. Der Berglöwe denkt sich: „Da kann ich mitmischen", und sucht sich ebenfalls ein leckeres Opfer aus. Last but not least erschlägt der herunterfallende Ast flugs den darunter Sitzenden.

Kognitive Reaktion Während der Diskussion ist unser intelligentes „Denkhirn" in Aktion. Es wägt Geräusche gegeneinander ab, es verwirft, es konstruiert, es vermutet, denkt sich aus, setzt Gedachtes in Sprache um, und und und …

Das dauert eindeutig zu lange. Bis dieser Denkvorgang endlich abgeschlossen ist, haben der verfeindete Neandertalerstamm, der Berglöwe und der Ast Gelegenheit, in aller Ruhe die Attacke vorzubereiten.

Dieses Fiasko konnte sich der liebe Gott nicht länger anschauen, denn auf die beschriebene Weise hätte sich die Menschheit schneller verringert als vermehrt. Somit musste er einen Riegel vor die endlosen Diskussionen

Limbisches System schieben: das *limbische System*.

Das limbische System reagiert ganz anders als das Denkhirn. Kaum hat das System die drohende Gefahr erkannt, wird blitzschnell (das viel zu langsame) intelligente Denkhirn abgeschaltet, und die Hormonproduktion kann starten.

> Das System des Gehirns heißt: Entweder Intelligenz oder (Kampf-)Hormone!

Zurück zu unserem historischen Beispiel. Entscheidend für die Reaktion der angegriffenen Gruppe ist, welches Hormon freigemacht wird. Adrenalin sorgt für die schnelle Flucht – es können blitzschnell „die Beine in die Hand" genommen werden … und Noradrenalin veranlasst den Angegriffenen, „die Keule in die Hand" zu nehmen und zurückzuschlagen.

Intuitive Reaktion Daran hat sich bis heute nichts geändert. Kaum erreicht unser limbisches System der Impuls eines Angriffs, ziehen wir uns beleidigt zurück oder wir schlagen (verbal) zurück.

10

Der Körper ist seiner Verpflichtung nachgekommen und hat (aus seiner Sicht) unser Überleben gesichert. Nicht ahnend, dass unser Überleben heute von etwas ganz anderem abhängt, nämlich oft: von der richtigen Antwort zur richtigen Zeit.

Bei einem großen Schreck halten wir sofort die Luft an.

Stellen Sie sich beispielsweise vor, Sie stehen kurz vor einer Präsentation. Sie arbeiten noch am letzten Schliff, ein Kollege kommt in die Nähe Ihres Arbeitsplatzes und wirft im Vorübergehen die lapidare Bemerkung in Ihre Richtung: „Ja, ja, strengen Sie sich ruhig ein wenig an, damit die Präsentation wenigstens diesmal ein richtiger Erfolg wird."

Da stockt einem doch der Atem, oder? Sie sitzen da wie ein Kaninchen vor der Schlange – paralysiert! Folgende „Erste-Hilfe-Maßnahmen" helfen Ihnen in einer solchen Situation:

Sofortmaßnahmen bei einem Angriff

1. Atmen Sie tief ein!

Gehirn und Stimme brauchen Sauerstoff. Zudem wird der Zwerchfellmuskel bedient, was ein kraftvolleres Ausatmen zur Folge hat. Somit bleibt Ihre Stimme fest. Halten Sie hingegen die Luft an, werden Sie zum „Hochatmer". Die Gefahr ist hier, dass die Brust sich aufpumpt und Sie einen Druck im Kehlkopfbereich spüren. So fühlt sich der „Kloß im Hals" an. Sie können sich lebhaft vorstellen, dass sich Ihr Körper damit im Stress befindet und nicht auch noch Hirnanstrengungen leisten kann. Zudem wird oft (durch den fehlenden Atem) die Stimme brüchig oder sie bleibt ganz weg. Noch schlimmer: Sie wird piepsig!

2. Lächeln Sie!

Den Lachmuskel aktivieren

Egal, wie Ihnen zumute ist, Lächeln stimuliert den „Zygomaticus major", den Lachmuskel. Dieser wiederum sendet an das limbische System positive Signale, die Produktion von Kampfhormonen wird gestoppt und die Thymusdrüse bekommt die Information, sofort „Freudehormone" auszuschütten. Ein Freudehormon frisst ungefähr 1000 Kampfhormone. Das heißt – Sie werden nicht durch unnötige Kampfhormon-Massenproduktion gedanklich blockiert.

3. Verschaffen Sie sich Bewegungsfreiheit!

Stehen Sie auf, damit Sie mit Ihrem Kontrahenten auf gleiche Höhe kommen. Wenn Sie vorher beide saßen, können Sie in der stehenden Position auf ihn herunterblicken (wenn es die Situation erlaubt). Sonst rücken Sie in aller Ruhe mit dem Stuhl ein wenig zurück. Falls Sie beide standen, gehen Sie ein paar Schritte zurück, um sich klare Gedanken zu verschaffen. Sie brauchen Freiraum um sich herum, damit Sie alle oben genannten Tipps anwenden können. Im Stehen können sie auch viel besser atmen. Außerdem verbrauchen Sie, während Sie sich bewegen, Adrenalin.

4. Bleiben Sie ruhig und lassen Sie sich Zeit!

Ruhe bewahren

Das tiefe Ein- und Ausatmen unterstützt die innere Ruhe. Der Anspruch, sofort und wie aus der Pistole geschossen antworten zu müssen, ist viel zu hoch und erzeugt Druck. Unter Druck schließen sich sofort wieder die Synapsen und Sie können nicht klar denken. Der Angreifer wartet gern auf Ihre Reaktion, denn er will beobachten, wie Sie reagieren. Lassen Sie ihn schmoren. Dabei atmen Sie tief, bewegen sich einen kleinen Schritt zurück und lächeln tiefgründig ...

5. Verschwenden Sie keine unnötige Geisteskraft!

Der ganz alltäglich Angriff ist dumm, dreist und unhöflich. Selten finden Sie Zeichen hoher Intelligenz in einem Angriff. Deshalb können Sie getrost zu einem „schlichten" Konter greifen – und dieser fällt Ihnen leichter ein. Weiterer Vorteil: Sie ersparen sich die zwecklose und dennoch verzweifelte Mühe, nach der „Megaantwort" zu suchen.

2. Wie können Sie eine Schutzhülle aktivieren?

Stellen Sie sich vor, Ihr lieber Kollege begrüßt Sie (weiblich) vor versammelter Mannschaft mit folgendem Satz: „So wie du aussiehst, könntest du auch mal wieder eine aufregende Nacht vertragen." Alles feixt und schaut, wie Sie reagieren. Das Schauspiel will sich keiner entgehen lassen.

Den Airbag aufblasen

Wie schützen Sie sich in einer solchen Situation? Stellen Sie sich vor, dieser Satz wäre ein Tritt. Und dieser Tritt ginge direkt in Ihren Airbag. Schließlich braucht jeder Airbag den Aufprall, damit er sich entfalten kann. Es kann Ihnen nichts geschehen, Sie sind geschützt. Ihr Airbag hat sich wohlig um Sie ausgebreitet. Dabei schauen Sie dem „Dummschwätzer" direkt in die Augen und beobachten Ihrerseits ihn. Jetzt umspielt noch ein zartes Lächeln Ihre Lippen (Sie wissen – die hormonelle Wirkung des Zygomatikus major). Das programmieren Sie jetzt! Es muss automatisch funktionieren:

Angriff ➔ Airbag ➔ Schutzgefühl ➔ Gegner fixieren ➔ Lächeln!

Dann klappt es auch mit der Antwort, zum Beispiel: „Sag mir, was du denkst, und ich sag dir, wer du bist."

Negative Situationen

Jetzt werden Sie fragen: „Und was mache ich in ganz ‚normalen‘ Situationen?' Zum Beispiel, wenn Sie gut gelaunt ins Geschäft kommen und ein missgelaunter Kunde an Ihnen seinen Frust auslässt? Sie merken, wie Ihnen all-

14

mählich die Laune verdorben wird. Oder zu Hause – die Familie ist genervt und gereizt und Ihre Stimmung wandelt sich auch allmählich ins Negative. Hier tritt Ihnen keiner den Airbag frei. Der Unterschied zur „klassischen Airbag-Situation" ist der, dass diese Attacke ganz schleichend geschieht und Sie es erst merken, wenn Sie sich bereits haben herunterziehen lassen und sich nun ebenfalls in schlechter Stimmung befinden.

Stellen Sie sich vor, es ist Ihr freier Tag, Sie haben etwas Muße und möchten sich ein paar Stunden in einer Buchhandlung gönnen – Zeit zum Stöbern und einige Titel von der Bücherliste abhaken. Sie fragen den Verkäufer nach einem Werk, an dessen Titel Sie sich nicht mehr genau erinnern, in der Hoffnung, dass Ihnen geholfen wird. Der Buchhändler gibt Ihnen mürrisch die Antwort: „Schauen Sie da drüben im Regal, da stehen alle Bücher, die mit diesem Thema zu tun haben."

Da kann es Ihnen leicht passieren, dass Ihnen das Messer in der Tasche aufgeht. Ab sofort nicht mehr! Beziehungsweise nur noch dann, wenn Sie sich bewusst dafür entscheiden, sich ärgern zu wollen.

Was haben alle Beispiele gemeinsam? Dass Sie der Willkür anderer Menschen ausgesetzt sind. Dass Fremde, die Familie oder Kollegen darüber entscheiden können, wie es Ihnen geht. Wahrscheinlich fallen Ihnen noch weitere Situationen ein, in denen es anderen Menschen gelang, Sie herunterzuziehen. Und oft sind es immer wieder die gleichen Situationen.

Der Willkür anderer begegnen

> Bestimmen Sie ab sofort selbst, in welcher Gemütsverfassung Sie sich befinden.

Damit bricht eine neue Zeit für Sie an. Sie reagieren auf den schleichenden Ärger wie folgt: Sie schlüpfen in Ihren Airbag wie in einen unsichtbaren Schutzballon. Dazu brauchen Sie eine Vorbereitungszeit zu Hause. Die Idee stammt aus dem mentalen Training und kann für sehr viele unterschiedliche Problemsituationen verwendet werden. Zum Beispiel kann der Ballon auch verhindern, dass die Erkältungswelle Sie erwischt.

Übung:

Stellen Sie sich vor, Sie stünden unter einer Dusche, welche aber kein Wasser absondert, sondern Licht. Weißes oder goldfarbenes Licht. Sie stellen sich unter diese Lichtdusche und lassen statt des Wassers Licht an sich herunterrieseln. So lange, bis Sie komplett eingehüllt sind. Während dieses Einhüllungsvorgangs stellen Sie sich weiter vor, dass alles, was Sie nicht an sich herankommen lassen wollen, draußen an der Außenhülle abprallt, alles das aber, was an Gutem eindringen soll, selbstverständlich zu Ihnen durchkommt. Die Hülle ist für alles Positive durchlässig. Sie können das programmieren. Mit Ihrer Vorstellungskraft. Ist das nicht wunderbar?

Zurück zur ärgerlichen Situation in der Buchhandlung. Der „Dummsatz" des unwirschen Buchhändlers kommt und – schwupp – stehen Sie in Ihrer Airbaghülle. Sie ist hell, lichtdurchflutet und durchsichtig. Der Dummsatz prallt ab und Sie fragen unverdrossen weiter nach Ihrem Wunschtitel.

Inneren Schutzschild aufbauen Barbara Berckhan macht in ihrem Buch *Die etwas intelligentere Art, sich gegen dumme Sprüche zu wehren* den Vorschlag, sich einen inneren Schutzschild aufzubauen.

Stellen Sie sich eine Panzerglasscheibe vor, welche sich automatisch und blitzschnell zwischen Sie und den potenziellen Angreifer schiebt. So wie bei einer Bank der Kassenbereich geschützt ist. Nur, Ihre Panzerglasscheibe ist flexibel ausklappbar und wieder verschließbar. So ähnlich wie eine Tür, die Sie öffnen und auch schließen können. Sie können hinter der Scheibe alles hören, aber es dringt nichts mehr in Sie ein und raubt Ihnen die Kraft. Der Angriff prallt an Ihnen ab. Ihr Gegner kann sagen und machen, was er will, Sie registrieren es, aber es berührt Sie nicht mehr.

Für beide Möglichkeiten (in den durchsichtigen Airbag schlüpfen oder den Schutzschild aufbauen) gilt, dass Sie den Schutzmechanismus üben, üben, üben …, und zwar zunächst in Situationen, die Ihnen nicht so zu Herzen gehen. Dann ist es nicht schlimm, wenn Sie es nicht sofort schaffen.

Anti-Ärger-Strategien

Der Ärger-Forscher Redford Williams schätzt, dass etwa 20 Prozent der Bevölkerung extrem ärgerbereit und gesundheitlich entsprechend stark gefährdet sind. Weitere 20 Prozent sind dagegen besonders gelassen und unaufgeregt und 60 Prozent rangieren irgendwo dazwischen.

Was ist Ärger überhaupt?

> Ärger sind Emotionen – begleitet von körperlichen Reaktionen, hervorgerufen durch die „Kampfhormone" Adrenalin und Noradrenalin.

17

Körperliche Reaktionen auf Ärger

Körperlich wirkt sich Ärger folgendermaßen aus:
- Der Blutdruck steigt.
- Wir atmen flacher.
- Der Herzschlag beschleunigt sich.
- Die Körpertemperatur steigt.

Konsumgewohnheiten (um den Ärger zu kompensieren) bei hoch ärgerbereiten Menschen können sein:
- Übermäßiges (Frust)-Essen,
- Rauchen,
- Alkohol zur Entspannung.

Prüfen Sie anhand der folgenden Beispiele, zu welchem Teil der Bevölkerung Sie gehören: zu den extrem ärgerbereiten, den gelassenen oder mal so, mal so, je nach Anlass.

Ärgeranlässe

Ärgerliche Anlässe können sein:
- Ein Autofahrer trödelt vor Ihnen her und Sie kommen nicht pünktlich zu Ihrem Termin.
- Eine Kassiererin im Supermarkt ist umständlich.
- Der Schnürsenkel reißt und andere Schuhe passen nicht zu Ihrem Outfit.
- Der ungünstige Steuerbescheid wirft Ihre ganze Budgetplanung um – nichts mit Urlaub in Amerika!
- Sie erreichen jemanden am Telefon nicht wegen Dauerquatscherei.
- Sie müssen vermeintlich ungerechte Kritik einstecken.

Beispiel: *Sie haben lange und ausführlich an einer Präsentation gearbeitet und sind mit Recht stolz auf das gelungene Werk. Als Sie sie darstellen, kommt von Ihrem Vorgesetzten der lapidare Kommentar: „Trocken und langweilig." Damit verschwindet er.*

18

Ihre Reaktion:
- *Gedanken:* Fluchen: „Das ist ungerecht, er hat gar nicht genau hingeschaut. Der macht es sich leicht!"
- *Gefühle:* Wut auf andere, Ärger
- *Körper:* Schnelle Atmung, leicht erhöhte Temperatur
- *Taten:* Länger arbeiten, Präsentation noch einmal korrigieren

Übung:

Versetzen Sie sich in eine Ihnen bekannte Ärgersituation:

Situation: _____

_____

Gedanken: _____

_____

Gefühle: _____

_____

Körper: _____

_____

Taten: _____

_____

Lassen Sie die ärgerliche Situation jetzt durch folgende „Prüfung" laufen.

Ärgeranlass und meine Reaktion:

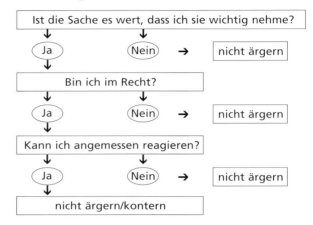

Wenn Sie sich die Fragen ehrlich beantwortet haben, dann haben Sie sich wieder ein klein wenig besser kennen gelernt. Das ist eine der wichtigsten Voraussetzungen für jede Kontersituation. Entscheidend ist, dass Sie sich nicht durch Ihre eigenen (unbekannten) Reaktionen aus dem Konzept bringen lassen.

Hier fünf Anti-Ärger-Strategien:
1. Mit sich selbst argumentieren.
2. Aus der Ärgersituation aussteigen.
3. Entspannungs- und Meditationstechniken.
4. Lernen, sich selbst zu behaupten, ohne dabei aggressiv zu werden.
5. Die eigenen sozialen Fähigkeiten entwickeln und trainieren.

> „Man ärgert sich nie ohne Grund, aber selten aus einem guten."
>
> *(Benjamin Franklin)*

Strategie 1: Mit sich selbst argumentieren

Prüfen Sie jede Ärgersituation in einem Selbstgespräch daraufhin, ob die bösen Gedanken, die Wut und all die Aufregung im Verhältnis zum Ereignis stehen.

Die eigene Wut überprüfen

Beispiel: *Ihre Katze hat eine teure Blumenvase umgestoßen.*

Frage: Hat sie es absichtlich getan oder hat sie sich nur wie eine Katze verhalten? Nützt es etwas, wenn Sie sie anschreien oder ihr einen Tritt verpassen?

Beispiel: *Der Wetterbericht hat einen traumhaften Sonnentag prophezeit. Sie haben alles für ein Picknick vorbereitet. Dann schüttet es wie aus Kübeln.*

Frage: Bringt es etwas, wenn Sie die Wetterfee verfluchen? Oder mit Ihrem Partner Streit anfangen, nur weil er die Idee hatte? Ärger verschlimmert die Situation nur noch.

Beispiel: *In einem Supermarkt stehen Sie (wie üblich) in einer Schlange wartend an der Kasse. Plötzlich drängelt sich jemand vor.*

Eine Möglichkeit: Weisen Sie den Drängler höflich, aber bestimmt zurück. Sollte Sie das schon sehr aufregen, dann fragen Sie sich: Lohnt sich die Aufregung? Vielleicht ist der Drängler kein bösartiger Egoist, sondern ein gestresster Mensch mit quengelnden Kindern im Auto, welches im Halteverbot steht.

Beispiel: *Ihr Kollege hat Ihre Idee – die Sie kurz mit ihm besprochen haben – als die seine vorgestellt.*

Anstatt den Ärger in sich hineinzufressen und ihn die Wut indirekt spüren zu lassen, vertagen Sie Ihr Urteil, bis

Sie ihn zur Rede gestellt haben. Ohne ihn jedoch gleich anzugiften. War ihm der „Ideenklau" nicht bewusst, entschuldigt er sich. Hat er Sie absichtlich gelinkt, dann sagen Sie ihm deutlich Ihre Meinung.

> Schon der Versuch, sich rational mit der Situation zu befassen, unterbricht den Ärgerautomatismus.

Denkmuster infrage stellen Eingeschliffene Denkmuster werden auf den Prüfstand gestellt, bevor sie sich im Gehirn einnisten und sich somit zu Vorurteilen verfestigen können, wie „Alle Drängler sind Egoisten!"; „Auf den Wetterbericht kann man sich auch nicht verlassen!"; „Der will mir was!"
Die Vernunft beeinflusst den archaischen Anteil Ihrer Psyche positiv.

Strategie 2: Aus der Ärgersituation aussteigen
Negative Gedanken stoppen Diese Technik nennt sich auch *Gedanken-Stopp*. Sie erzielt eine hohe Wirkung bei immer wiederkehrenden Ärgersituationen. Oder bei „Klingelknopf-Situationen". So etwas kennen Sie, oder? Situationen, in denen Sie ohne Verzögerung „hochgehen" – als ob jemand auf einen Klingelkopf gedrückt hätte, um damit bei Ihnen die gewünschte Wutreaktion auszulösen. Jetzt gilt es, ein wenig schneller zu sein als Ihr Hirn. Denn sobald ein negativer Gedanke auftaucht, ein bedrohliches Gefühl entsteht oder der Klingelknopf gedrückt wurde, müssen Sie lautlos unbedingt sofort das Wort „Stopp" rufen. Sie stoppen damit nicht nur die Gedanken, sondern auch die körperlichen Stressreaktionen.

Unterbrechen Sie den Automatismus: Nutzen Sie die Unterbrechung, um auf ein anderes „Programm" umzuschalten (oder rationale Argumente einzubeziehen). Was ebenfalls eine sehr gute und wirkungsvolle Übung ist:

allen Ärger, alle Sorgen oder sonstige Unbill dem „Sorgenfresser" zu verabreichen. Stellen Sie sich vor, Sie hätten neben Ihrem Schreibtisch, Nachttisch oder an einer anderen strategisch günstigen Stelle ein kleines Männchen stehen (ähnlich den Nussknacker-Männchen aus dem Erzgebirge) mit einem großen Maul und großen Zähnen. Jedes Mal, wenn Ärger, Kummer usw. sich bei Ihnen einschleichen, stecken Sie genau diese Gedanken dem Fresser zwischen die Zähne und beobachten, wie er sie zermalmt. Sie können hören, wie er genüsslich darauf herumkaut, und Sie fühlen sich danach wie von einer Last befreit.

Einige Ärger-Beispiele:
- *endloses Weiterverbinden am Telefon,*
- *eine langweilige Konferenz,*
- *eine patzige Bedienung,*
- *Ampelschleicher,*
- *unfreundliche Kunden,*
- *Stehen im Stau.*

Ärgersituation mit Humor nehmen

Stellen Sie sich die Frage: Hat die Situation nicht vielleicht auch eine komische Seite? Beim endlosen Verbinden melden Sie sich beim dritten Mal mit „Buchbinder Wanninger" (von Karl Valentin). Bei der langweiligen Konferenz beobachten Sie die mit dem Schlaf kämpfenden „Mitgefangenen". Die Bedienung stellen Sie sich in Giraffen-Boxershorts vor.

Oder Sie wechseln auf ein Wohlfühlprogramm: Beim Von-Ampel-zu-Ampel-Schleichen flüchten Sie in Ihren Lieblingstagtraum. Beim unfreundlichen Kunden freuen Sie sich auf den zu erwartenden schönen Abend. Beim Stehen im Stau legen Sie Ihre Lieblingskassette ein.

Strategie 3: Entspannungs- und Meditationstechniken
Wenn die ersten beiden Techniken (mit sich selbst argumentieren und Stopp-Technik) bei Ihnen nichts genutzt haben und immer noch Adrenalin fließt, sollten Sie versuchen zu entspannen. Dazu können Sie sich selbst programmieren, zum Beispiel mit folgenden Übungen:

Übungen:
1. Zählen Sie bis zehn (um Abstand zu gewinnen).
2. Aktivieren Sie Ihren Lachmuskel (Zygomatikus major) durch ein leichtes Bewegen der Mundwinkel – das darf auch ein schiefes Grinsen sein. Sie erinnern sich: Sofort werden Freudehormone aktiviert, welche wiederum die Kampfhormone fressen.
3. Atmen Sie tief aus – damit Sie bewusst den Ärger ausatmen.
4. Sagen Sie sich lautlos: „Ich bleibe ganz gelassen … ich bleibe ganz gelassen … ich bleibe ganz gelassen …"

Strategie 4: Lernen Sie, sich selbst zu behaupten, ohne aggressiv zu werden

Kontrolliert vorgehen
Nicht immer können Sie Ärger bagatellisieren, ignorieren oder umdefinieren. Manchmal ist es notwendig, Ihre Interessen zu verteidigen, um langfristig schlimmeren Ärger zu vermeiden. Also gilt es, den Ärger so zu formulieren, dass Sie Ihr Ziel erreichen, ohne unnötig Porzellan zu zerschlagen. Wenn Sie im Ärger-Diagramm erkannt haben, dass Sie einen guten Grund zum Ärgern haben, dann gilt es, ruhig und kontrolliert vorzugehen.

1. Formulieren Sie Ihr Bedürfnis in der Ich-Aussage:
„Ich möchte bitte den Satz zu Ende sprechen."
Oder:

„Ich bitte Sie, den Rasenmäher abzustellen, es ist Mittagspause."

Vermeiden Sie Pauschalangriffe wie:

„Nie lassen Sie mich ausreden!" oder „Immer machen Sie mittags Lärm!".

2. Zeigen Sie Verständnis:

„Ich halte Sie nicht lange auf, bitte geben Sie mir kurz die Information ..." anstelle von: „Ich habe genauso wenig Zeit wie Sie!".

3. Äußern Sie Gefühle:

„Ich finde es enttäuschend, dass wir unsere Differenzen auf diese Weise austragen müssen" anstelle von: „Sie sollten sich in Zukunft am Riemen reißen!".

Formulieren Sie, wenn nötig, Konsequenzen, die das ärgerliche Verhalten für den anderen haben kann. Zum Beispiel: „Wenn Sie mich weiter belästigen, werde ich ..."

Sie erreichen durch Anti-Ärger-Strategien, dass Sie jederzeit das Gefühl haben, sich und die Auseinandersetzung im Griff zu haben. Damit halten Sie auch den Ärger in Schach.

Strategie 5: Die eigenen sozialen Fähigkeiten entwickeln und trainieren

Bitte prüfen Sie sich an dieser Stelle noch einmal: Sind Sie von Natur aus (vielleicht durch schlechte Erfahrungen) eher ein misstrauischer Mensch? Feindselig oder gar zynisch? Könnte es sein, dass Sie dadurch an sich harmlose Zeitgenossen schnell verdächtigen, Sie ärgern zu wollen? Sind Sie rechthaberisch, nachtragend, besserwisserisch, ichbezogen? Reagieren Sie bei unbedeutenden (kleinen) Konflikten leicht über? Fallen Sie anderen schnell ins Wort, entweder um sie abzuwürgen oder um deren Sätze zu beenden, um schneller wieder selbst ins Geschehen zu kommen? Gehen Ihnen Menschen, die

Die eigene Haltung hinterfragen

25

langatmig und umständlich formulieren, auf die Nerven? Die sich so langsam bewegen, dass jede Schnecke sie kopfschüttelnd überholen würde? Die einen bremsen, langweilen und aufhalten?

Ärger erzeugt Druck

Ärgern Sie sich über diese Zeilen? Dann ist es nicht verwunderlich, dass Sie ein hohes Ärger-Potenzial entwickelt haben und dringend darauf angewiesen sind, besser kontern zu können. Mit dieser Einstellung multiplizieren Sie Ihre Ärgerquellen. Nur – lassen Sie mich diesen kleinen Wermutstropfen erwähnen – ist die Rolle des Rachegottes oder der Rachegöttin sehr energieverschwendend. Sie geraten immens unter Druck, weil Sie Ihrem Kontrahenten dringend zeigen müssen, dass Sie im Recht sind. Und unter Druck bringt kaum jemand etwas Gescheites zustande.

Die Richtung ändern

Wie wäre es mit einer Richtungsänderung? Sie würden sich in Zukunft nur noch dann aufregen, wenn Sie richtig Lust dazu haben, aber nicht mehr bei jedem Klingelknopf? Das hieße: Sie entscheiden, ob oder ob nicht. Sie hätten plötzlich eine innere Gelassenheit, die Ihnen für jede Kontersituation die besten Ideen liefert. Sie wären *selbst-* und nicht *fremd*bestimmt.

Einen Versuch ist es wert. Vielleicht sind Sie mit sich gar nicht so zufrieden und haben sich eines schon lange gewünscht – gelassener zu sein. Sie ärgern sich am Ende sogar darüber, dass Sie sich immer so schnell ärgern. Es ist gar nicht selten, dass Menschen mit sich selbst hadern, mit ihrer Umwelt, mit ihren „negativen" Eigenschaften, mit problematischen Situationen und dadurch meist nicht in der Lage sind, die eigene „Kehrseite" wahrzunehmen.

2. Wie können Sie eine Schutzhülle aktivieren?

> **Stellen Sie sich ab und an die Frage: Was ist das Gute am Schlechten?**

Beispiel: *Ein Kunde beschwert sich bei Ihnen. Er sagt: „In Ihrem Laden geht es viel zu bürokratisch zu."*

Wie können Sie diesen Vorwurf ins Positive umdeuten?

1. „Gut"-Idee: „Ja, da haben Sie Recht – wir arbeiten genau und zuverlässig, im Interesse unserer Kunden. Was genau ist Ihnen zu viel und behindert Sie?"
2. „Gut"-Idee: „Ja, viele unserer Verträge sind genau, offen und klar abgefasst, damit Sie bei Ihrer Entscheidung auch das Kleingedruckte berücksichtigen können. Was würden Sie gerne verändern an unserer Zusammenarbeit?"
3. „Gut"-Idee: „Ja, das sehe ich genauso. Korrektes, genaues Verhalten kostet manchmal Zeit und Energie, ohne dass für Sie sofort der Vorteil erkennbar ist. Welches Verhalten stört Sie speziell an unserer Zusammenarbeit?"

Wenn Sie es schaffen, in diesem Fall dem nörglerischen Kunden zuzuhören und wahrzunehmen, was er gesagt hat, fallen Sie sofort aus dem Zwang, sich und Ihr Unternehmen verteidigen zu müssen.

Den Rechtfertigungszwang durchbrechen

Beispiel: *Sie stehen kurz vor einer Präsentation und haben sehr starkes Lampenfieber. Sie wissen, dass Sie es schaffen, dennoch ärgern Sie sich über die feuchten Hände, die anfänglich zittrige Stimme und die roten Ohren.*

Fragen Sie sich:
1. Wofür ist es gut?
2. Welchen Sinn hat es?
3. Was ist das Gute für dich?
4. Was wird dadurch sichergestellt?

27

2. Wie können Sie eine Schutzhülle aktivieren?

Antworten Sie dann wie folgt:
1. Sie merken, dass Ihnen Ihr Vorhaben nicht gleichgültig ist, das merkt Ihr Publikum dann auch und erkennt es an.
2. Sie wirken menschlich.
3. Sie sind hochkonzentriert.
4. Sie werden sich Mühe geben, Ihr Publikum nicht zu enttäuschen.

Reframing Dieses Frage- und Antwort-Spiel kommt aus dem *NLP* (Neurolinguistisches Programmieren) und nennt sich *Reframing* (etwas in einen neuen Rahmen setzen). Sie kommen dadurch sehr gut in Kontakt mit sich und können Ihre Reaktionen in manchen Situationen leichter steuern.

Andere besser verstehen Fazit: Das „In-sich-hinein-Hören" oder „Dem-anderen-Zuhören" bewahrt Sie vor schnellen Werturteilen (pingeliger Kunde, Erbsenzähler, Depp). Sie erfahren mehr, Sie verstehen mehr, Sie schärfen Ihre Beobachtungsgabe und lernen, Worte und Gesten besser zu interpretieren. Nachsicht und innere Gelassenheit entschärfen viele Ärgersituationen. Das Gleiche erreichen Sie mit Empathie, Einfühlungsvermögen und Verzeihenkönnen.

> Toleranz ist eine soziale Tugend und bedeutet, den Menschen so zu nehmen, wie er ist. (Was manchmal eine echte Herausforderung darstellt!)

3. Welche inneren Antreiber prägen Sie?

Werfen wir einen Blick in unsere Kindheit. Zuerst sind es die Eltern, die uns umsorgen. Wenn wir als Säugling ein Bedürfnis hatten, zum Beispiel Hunger oder eine nasse Windel, dann haben wir dies durch lautes Schreien kund getan. (Manche Menschen, könnte man meinen, haben das bis heute nicht verloren und sind wohl an diesem Stand der Entwicklung stehen geblieben.) Dann kam die liebende Mama herbeigeeilt und hat unser Bedürfnis gestillt, uns noch ein wenig geknuddelt und dann durften wir weiterschlafen. Somit konnten wir uns auf die Welt blind verlassen.

Werte und Normen

In unserer weiteren Entwicklung mischten dann in unserer Bedürfnisbefriedigung immer mehr Menschen mit: Kindergärtnerin, Lehrer, Pfarrer – später der Ehepartner, das Unternehmen, in dem wir arbeiten, staatliche Organe usw. Es wurden Gebote, Verbote, Prinzipien und Regeln aufgestellt darüber, welche Aufgaben wir zu erfüllen hatten und welche nicht. Und wie wir sie zu erfüllen hatten und wie nicht. Für ein kleines Kind sind derartige Botschaften absolut, da es keine Möglichkeiten hat, implizierte Werte und Normen anzuzweifeln. Erst im Laufe der Jahre kann es erkennen, dass es zum Beispiel zu den elterlichen Botschaften noch Alternativen gibt. Erst als Erwachsene haben wir die Chance, Normen und Regeln infrage zu stellen.

29

3. Welche inneren Antreiber prägen Sie?

Schauen wir uns Kindheitsprägungen einmal näher an:

- ▪ Sei perfekt!
- ▪ Beeile dich!
- ▪ Streng dich an!
- ▪ Sei stark!
- ▪ Mach es allen recht!
- ▪ Sei gefällig!
- ▪ Enttäusche uns nicht!
- ▪ Sei lieb!

Diese Befehle wurden von der *Transaktionsanalyse* entdeckt und *Antreiber* sowie *Stopper* genannt. Sie (die Befehle) bestimmen unbewusst unser heutiges Verhalten nachhaltig, es sei denn, wir hätten uns mit unseren „Unzulänglichkeiten" bereits beschäftigt und unser „Skript" umgeschrieben.

Wenn Sie sich den Antreiber „Sei lieb" anschauen, dann erscheint es fast logisch, dass Sie in Lebenslagen, die Sie als bedrohlich erleben, nicht gescheit kontern können. Denn auch hier sind Sie bemüht, möglichst freundlich und vermeintlich liebenswert zu bleiben. Und zum Kontern brauchen Sie eine gesunde Portion Mut zum Frechsein! Mit einem Klotz am Bein hat noch niemand schnell rennen können.

Schauen wir uns den Antreiber „Sei perfekt" an. Dieser Antreiber verlangt Gründlichkeit, Perfektion und Vollkommenheit bei allem, was Sie tun. Jetzt stellen Sie sich vor, Ihnen erklärt in einem Meeting Ihr Lieblingsfeind: „Sie wissen doch wieder einmal überhaupt nicht, um was es geht." Jetzt sollen Sie schnell, witzig, geistreich und humorvoll kontern. Wie denn? Sie wollen doch spontan Ihre Ideen verteidigen. Ihr Perfektionismus zwingt Sie, Ihrem Gegner zu erklären, dass er Ihnen Unrecht tut, dass

3. Welche inneren Antreiber prägen Sie?

Sie sehr wohl wissen, um was es geht, dass er sich im Irrtum befindet und keine Ahnung hat. Somit wird Ihr innerer Antreiber (Sei perfekt) prompt zum Stopper weiterführender Ideen.

„Beeile Dich", „mach schnell", „schau immer vorwärts" wird Sie veranlassen, alles rasch zu erledigen. Sie schlingen Ihr Essen herunter, im Urlaub rennen Sie von Event zu Animation, von Kirche zu Museum und überhaupt durchs Leben. Sie verweilen nirgends, da Sie das als Zeitverschwendung erleben, und wirken immer hektisch. Da muss doch jeder Mensch, der mit Muße an Dinge herangeht, für Sie wie eine Bedrohung wirken. „Kann der sich denn nicht wie ein normaler Mensch bewegen?"; „Der schlägt beim Gehen Wurzeln!" Schon wird Ihr Zugang zur Gelassenheit damit gestoppt (Stopper).

Gelassenheit erlangen

„Streng dich an" kann bedeuten, dass Sie aus jeder Aufgabe ein Jahrhundertwerk machen. „Nur nicht locker lassen" wird Sie eher zur Verbissenheit antreiben, anstatt Gelassenheit zu aktivieren. Sie versuchen, auch Ihr Umfeld zu großer Anstrengung anzuspornen. Schließlich haben die Götter vor den Erfolg den Schweiß gesetzt. Ihren Mitmenschen gehen Sie dadurch unter Umständen auf die Nerven und das wird sich sicherlich hin und wieder in der Kommunikation negativ niederschlagen. Kennen Sie den Spruch: „Der Goldklumpen, welchen Sie am Wegesrand finden, ist genauso viel wert wie der, nach dem Sie sieben Jahre gegraben haben"? Darüber könnte man nachdenken, oder?

„Mach es immer allen recht", „sei gefällig", „sei lieb" wird Sie dazu veranlassen, möglichst im Hintergrund zu bleiben. Sie fühlen sich dafür verantwortlich, dass es den anderen gut geht. Das Umfeld ist immer wichtiger als Sie selbst. Sie möchten beliebt sein und mit allen im Frieden leben. Ihre eigenen Bedürfnisse stellen Sie hinten an und Konflikten gehen Sie tunlichst aus dem Weg. Also verhindert der Stopper die Möglichkeiten des Konterns, denn das könnte ja einen Konflikt heraufbeschwören ...

Schwäche zulassen „Sei stark", „beiß die Zähne zusammen" bedeutet: Sie müssen immer Herr der Lage sein, sich nur keine Blöße geben, keine fremde Hilfe in Anspruch nehmen. Sie sind Vorbild und ein Indianer kennt keinen Schmerz. Bitte keine Gefühle zeigen, sondern ein Held bleiben. Hier wird Betroffenheit gestoppt, was Sie daran hindert, manchmal weich zu sein. Diese Verpflichtung zur eisernen Konsequenz in jeder Lebenslage verbraucht bereits so viel Energie, dass Sie zum Kontern keine mehr übrig haben.

Den inneren Teufelskreis durchbrechen Sagen Ihnen die folgenden typischen „Stopper-Gedankenmuster" etwas? „Ich darf nicht so empfindlich sein", „ich schaffe das nicht", „dagegen komme ich nicht an", „den langweile ich mit meinem Gerede", „ich bin hier nur die Sekretärin", „ich bin zu alt, zu jung, zu dick, zu dünn ...", „ich habe kein Abi", „bin ja kein Akademiker" ... Sollten solche Sätze stark Ihr Leben beeinflussen, können Sie davon ausgehen, dass Ihr Antreiber Sie fest im Griff hat. Und nun stecken Sie in einem Teufelskreis, denn heißt Ihr Muster „sei perfekt" und haben Sie die Ansprüche Ihres Antreibers nicht erfüllt (waren mal nicht perfekt), dann fühlen Sie sich schlecht und bemühen sich, es beim nächsten Mal viel besser zu machen. Also kontrolliert Ihr Antreiber Sie bei der nächsten Gelegenheit noch stärker und damit wächst die Versagensangst umso mehr.

> Mit dem falschen Antreiber im Hintergrund ist gekonntes Kontern nicht möglich!

4. Wie arbeitet das Gehirn?

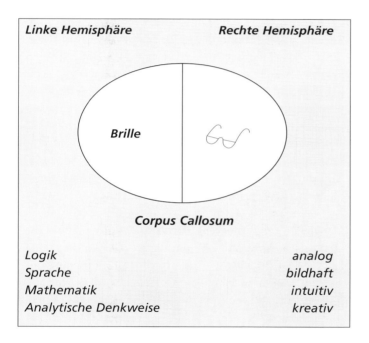

Linke Hemisphäre	Rechte Hemisphäre

Corpus Callosum

Logik	analog
Sprache	bildhaft
Mathematik	intuitiv
Analytische Denkweise	kreativ

Schauen wir uns die Arbeit unseres Gehirns einmal näher an: Durch die linke Gehirnhälfte nehmen wir Sprache auf. Zunächst als digitale Buchstabenfolge. Dann marschiert dieser Begriff über den Corpus Callosum (Nervenstrang als Verbindung zwischen den Hirnhälften) zur rechten Hirnhälfte, um dort zu erfragen, ob es bereits ein passendes Bild zu dem bislang neutralen Begriff gibt. Wenn ja, wird dieses geliefert – wie auf der Zeichnung die Brille.

Linke und rechte Gehirnhälfte

33

Kommt jetzt ein Angriff und die rechte Hirnhälfte hat das passende Bild bereits installiert, will die linke Hirnhälfte zunächst diesen Angriff verstehen. Sie sucht nach Erklärungen, nach dem Sinn, der dahinter stecken könnte. Die Sortierarbeit der linken Hirnhälfte braucht Zeit, denn sie ist die Seite, die alles linear und nach einem logischen Ordnungssystem durchkämmt. Das dauert recht lange. Die rechte Hirnhälfte, die schon von dem Angriff in Kenntnis gesetzt wurde, hat bereits eine gute Erwiderung parat und drängelt zur Antwort. „Nein", sagt die linke Hirnhälfte, „du wartest jetzt noch ein wenig, ich habe noch nicht alles gründlich durchdacht, ich muss erst überlegen, ob deine Antwort sinnvoll, intelligent und witzig ist. Schließlich möchte ich mich nicht blamieren." „Gut", sagt die rechte Hälfte und wartet und wartet ... bis sie die Lust verloren hat und nichts mehr liefert.
Bei Linkshändern ist es umgekehrt, sagt der bekannte Körpersprachler Samy Molcho, hier ist die linke Hirnhälfte die fantasievolle und kreative.

Der linken (vernünftigen) Hirnhälfte wird nach wie vor eine wesentlich größere Bedeutung geschenkt, die rechte Seite wird nicht ganz so ernst genommen. Denn die traut sich, „Blödsinn zu liefern", und das gefällt der „klugen" linken Hälfte oft nicht. Deswegen wirken sehr stark vernunftbetonte Menschen oft langweilig und hölzern auf Menschen, die ihrer Fantasie freien Lauf lassen.

Wie Sie Ihr Gehirn trainieren

Sollten Sie sich in der oben beschriebenen Situation wiedererkannt haben, dann ist es dringend notwendig, dass Sie einen Pakt mit Ihrem Gehirn schließen.

Beispiel: *Sie sitzen in einer informellen Gesprächsrunde im Geschäft und plötzlich sagt ein Kollege nach Ihrem Kurzbeitrag zu Ihnen (der einzigen weiblichen Person): „Können Sie das als Frau überhaupt beurteilen?"*

Angenommen, Ihr Adrenalinpegel steigt nicht mehr besonders bei einem solchen Angriff (da Sie Ihre „Pappenheimer" schon kennen) und Ihre Synapsen bleiben alle offen. Dennoch sind Sie im Moment sprachlos. Ihr Gehirn fängt an zu arbeiten. Es möchte begreifen, was damit gemeint ist. „In welchem Zusammenhang könnte diese Frage stehen?" „Ist sie ernst gemeint oder soll sie mich blamieren?" „Wenn sie mich blamieren soll, warum?" „Oder muss die Frage ernsthaft beantwortet werden?" Das alles geht Ihnen unbewusst durch den Kopf. Gleichzeitig spüren Sie den Erwartungsdruck. Alle schauen Sie an und warten auf eine Antwort. Sie können aber bei aller Anstrengung den Sinn dieses Ausspruchs nicht ergründen. Möglicherweise weil es keinen gibt. Oder weil solche Angriffe bei Ihnen im „Gehirn-Archiv" nicht als beantwortenswert gespeichert sind. Es herrscht immer noch Schweigen im Raum – Sie sind jetzt aufgerufen zu reagieren. Jetzt ist der Druck so stark, dass der Adrenalinpegel schlagartig doch steigt. Die Synapsen schließen sich, nichts geht mehr! Das ist die klassische „Ausstiegssituation". Alles feixt und ein vermeintlicher Punktsieg geht an den Kollegen.

Jetzt sind Sie aufgerufen, mit Ihrer vernünftigen Hirnhälfte ein ernstes Wort zu reden. Sie ist sicherlich ganz wichtig, wenn es darum geht, eine Bilanz zu erstellen. Sie ist auch wichtig, wenn Sie beabsichtigen, eine verkehrsreiche Straße zu überqueren, aber ist sie denn auch bei einem Angriff wirklich wichtig? Eher hinderlich! Wie schalten Sie sie also aus? Gar nicht. Sie bitten sie lediglich,

Vernunft und Fantasie ausgleichen

sich nicht immer so dominant zu benehmen. Sich nicht über die kreative Gehirnhälfte zu stellen. Aktivieren Sie Ihre rechte, fantasievolle Hirnhälfte stärker, sodass sie wie ein Notstromaggregat blitzschnell Antworten liefert. Das Schwierige an der Übung ist, dass Ihre vernünftige, logische Seite die Ideen bewertet und alles ablehnt, was sie nicht für gut genug, intelligent genug oder witzig genug befindet.

> **Sie müssen sich hin und wieder von ernsthaften und vernunftgeprägten Ideen verabschieden.**

Bewusst albern sein

Wie das geht? Reden Sie ab und zu Nonsens – natürlich in Situationen, in denen Ihnen nichts passieren kann (bei guten Freunden). Sie werden feststellen, was das für einen Spaß macht und wie Ihre Fantasie zur Hochform aufläuft, da sie die lästige Vernunftkontrolle los ist. Körperlich können Sie die rechte Hirnhälfte noch zusätzlich dadurch unterstützen, dass Sie die linke Körperseite häufiger bewegen, zum Beispiel mit der linken Hand ein Brot schmieren oder die Zähne putzen. (Die rechte Körperseite wird durch Ihre linke Gehirnhälfte gesteuert und umgekehrt – das Gehirn gibt diagonal Befehle.)

5. Frech sein – nie gelernt?

Manche Menschen ziehen Angriffe richtig an. Nach dem Motto: „Wer anderen den Buckel hinstreckt, muss sich nicht wundern, wenn einer draufhaut." Solche Menschen signalisieren unbewusst: „Ich bin ein Opfer – bitte, wo geht's hier zum Täter?" Sie wirken eher zurückgenommen, stehen oder sitzen leicht gebückt, der Brustkorb wirkt eingefallen. Sie stecken ihren Kopf zwischen die Schultern und weichen Blicken aus oder schauen unsicher in die Runde. Arme und Beine bleiben dicht am Körper, diese Menschen nehmen wenig Raum ein in ihren Bewegungen. Sie dokumentieren, dass sie um keinen Preis auffallen möchten, und lassen sich schnell viel Arbeit aufladen.

Typische Opfer

In ihrem Sprachgebrauch drücken sich so genannte Opfersignale dadurch aus, dass diese Menschen
- sich oft und grundlos entschuldigen: „Verzeihen Sie bitte, aber ich möchte doch noch mal nachfragen ...", „bitte entschuldigen Sie, aber wir haben schon mehr Zeitschriften abonniert, als wir überhaupt lesen können", „tut mir sehr Leid, aber ich ersticke selbst in Arbeit – ich kann den Bericht wirklich im Moment nicht für Sie schreiben";
- zu Konjunktiven (Möglichkeitsform) neigen: „Ich würde gerne ...", „hätten Sie bei Gelegenheit eventuell mal Zeit für mich?", „könnten Sie bitte so freundlich sein und vielleicht mal einen Moment in mein Büro kommen?";

37

■ verbal den eigenen Standpunkt abschwächen durch Begriffe wie: vielleicht, eigentlich, irgendwie, eventuell, möglicherweise: „Ich irre mich wahrscheinlich, aber haben wir das nicht irgendwie anders beschlossen?", „eigentlich würde ich ganz gerne mal mit Ihnen reden";

■ sich selbst herabsetzen: „Ich bin kein Experte auf dem Gebiet, dennoch ...", „ach, das war nur so eine Idee von mir", „ich bin mir nicht sicher, ob das jetzt passt ...", „ich meine bloß ...".

Wenn Sie zu diesen Menschen gehören, lassen Sie uns schauen, wie Sie dieses „Machtvakuum" auflösen können.

Erlauber Wechseln Sie Ihre Programme in positive Muster oder *Erlauber* (auch wieder eine Bezeichnung aus der Transaktionsanalyse). Hier heißen die Programme zukünftig:

■ Lass dir Zeit!
■ Sei du selbst!
■ Sei offen!
■ Lebe dein Leben!
■ Sei selbstbestimmt!

Daraus resultieren folgende (neue) Lebenseinstellungen:

■ „Statt immer perfekt zu sein, erlaube ich mir auch mal einen vermeintlichen Misserfolg."

■ „Statt immer in Eile zu sein, erlaube ich mir mal fünf Minuten seliges Nichtstun."

■ „Statt immer stark zu sein, erlaube ich mir mal, hilflos zu sein und Unterstützung von anderen anzunehmen."

■ „Statt es immer allen recht zu machen, erlaube ich mir, zuerst an mich zu denken."

6. Neinsagen – wie geht das?

Wie kann man etwas ablehnen, ohne dadurch selbst abgelehnt zu werden oder den anderen für immer zu verstimmen?

Beispiel: *Ein guter Bekannter bittet Sie, ihm am nächsten Wochenende beim Umzug zu helfen. Sie haben eigentlich schon etwas anderes vor und würden am liebsten ablehnen, doch Sie trauen sich nicht. Also sagen Sie zögerlich „Ja". Einen Tag vor dem Umzug rufen Sie ihn an und erklären ihm, Sie müssten ganz überraschend Ihre Oma im Altersheim besuchen – sie bräuchte Ihre Hilfe … (Das glaubt sowieso kein Mensch.)*

Warum greifen wir oft nach fadenscheinigen Ausreden, die viel mehr schmerzen als eine sofortige Ablehnung der Bitte? (Dann hätte sich der Freund noch um eine andere Hilfe kümmern können.) Schauen wir uns das Neinsagen einmal näher an.

Es gibt verschiedene Gründe zum Jasagen, obwohl wir „Nein" meinen:

Gründe für ein falsches „Ja"

1. Überraschung/Überrumpelung: Da Sie für diesen Zeitpunkt gerade nichts geplant hatten, können Sie die planlose Lücke damit füllen, dem Kollegen die überraschende Bitte zu erfüllen, denn er war mit seinem Anliegen schneller als Sie mit Ihrer Planung.

2. Der Wunsch zu gefallen, das Bedürfnis, geschätzt zu werden: „Wenn ich der schönen Nachbarin nicht den Müll heruntertrage, bin ich nicht gefällig."

3. Die Furcht, andere zu verletzen: „Es könnte sein, dass sie persönlich gekränkt ist, wenn ich sie nicht im Auto mitnehme, obwohl ich einen großen Umweg fahren muss und mein Zeitplan durcheinander gerät."

4. Angst vor Strafe und Verlust: „Wenn wir nicht nach deren Pfeife tanzen, dann werden die uns nie mehr einladen. Und ‚Vitamin B' ist doch so wichtig."

5. Schuldgefühle: „Wenn ich nicht den Bericht meines Kollegen zusätzlich schreibe, denkt er, ich sei egoistisch."

6. Autoritätsabhängigkeit: „Klar kann der Automechaniker mir erzählen, dass das Auto 20 neue Zündkerzen braucht, er ist schließlich der Fachmann."

7. Gegenseitigkeit: „Ich werde natürlich meiner Kollegin aus der finanziellen Patsche helfen, vielleicht bin ich auch mal froh um ihre Hilfe."

8. Pflichtgefühl: „Das bin ich meiner Familie schuldig, dass jeden Abend ein warmes Essen auf dem Tisch steht."

9. Märtyrertum: „Irgendwie werde ich das auch noch schaffen ..."

10. Geltungsbedürfnis: „Seht her, was ich alles schaffe!"

Übung:

Betrachten Sie diese Beispiele und versuchen Sie bitte jetzt zu entscheiden, worin der Denkfehler besteht. Welche Rechte Ihrerseits gegen die Kraft Ihrer „alten" Programme stehen dürfen. Lösungsvorschläge finden Sie auf Seite 118f.

1. Überraschung/Überrumpelung
Auflösung:

_____

_____

2. Der Wunsch zu gefallen, das Bedürfnis, geschätzt zu werden
Auflösung:

_____

_____

3. Die Furcht, andere zu verletzen
Auflösung:

_____

_____

4. Angst vor Strafe und Verlust
Auflösung:

_____

_____

5. Schuldgefühle
Auflösung:

_____

_____

6. Autoritätsabhängigkeit
Auflösung:

_____

_____

6. Neinsagen – wie geht das?

7. Gegenseitigkeit
Auflösung:

_____

_____

8. Pflichtgefühl
Auflösung:

_____

_____

9. Märtyrertum
Auflösung:

_____

_____

10. Geltungsbedürfnis
Auflösung:

_____

_____

Diese Programme dürfen jetzt getrost in Ihrem Unterbewusstsein verschwinden, dort gehen sie nicht verloren. Sie werden sich allmählich mit den „alten" Mustern mischen und sie dann eventuell ganz verdrängen.

Die richtige Grundeinstellung Sie sehen, gutes Kontern besteht nicht darin, kluge oder scharfe Sätze auswendig zu lernen. Sicher können ein paar ganz gute Treffer dabei sein, nur, wirklichen und dauerhaften Erfolg erzielen Sie, indem Sie die richtige Grundeinstellung zum Frechsein und zum Neinsagen entwickeln.

> Die erste Stufe zum Neinsagen besteht darin – nicht gleich „Ja" zu sagen.

Beispiel: *Ein Kollege ruft an und bittet Sie zum wiederholten Mal, sein Telefon mit zu übernehmen. Sie wissen, dass er sich jetzt wie ein Bürotourist aufmacht, um mit den Kollegen in anderen Abteilungen und Stockwerken einen ausführlichen Schwatz zu halten. Als seine Frage kommt, sagen Sie nicht wie gewohnt (zähneknirschend) „Ja", sondern Sie sagen: „Ich rufe dich in ein paar Minuten zurück." In dieser Zeit wappnen Sie sich, denn er wird drängeln, da er von Ihnen kein „Nein" gewöhnt ist. Sie rufen ihn zurück und sagen ganz klar: „Nein, ich werde dein Telefon nicht übernehmen, da ich selbst kaum mit der Bearbeitung meiner Telefonate nachkomme." Er wird versuchen Sie umzustimmen, denn er kennt Ihre schwache Stelle: „Ach komm, das hast du sonst auch gemacht, du darfst dann heute Abend wieder ein Stück mit mir mitfahren, dann bist du schneller zu Hause." Sie bleiben hart und antworten: „Nein, ich werde dein Telefon nicht übernehmen, ich schaffe meine Arbeit kaum." Er wird erwidern: „Was ist denn plötzlich los mit dir, du bist doch sonst nicht so zickig." Sie bleiben gelassen und sagen: „Das mag dir so vorkommen, ich werde dennoch nicht dein Telefon übernehmen, schmink es dir ab, tschüs." Tief atmen, geschafft!*

Deutlich Nein sagen

Eine Gefahr gilt es zu beachten beim Neinsagen. Sie müssen Ihr Nein klar formulieren. Sobald Sie ausweichend und verschwommen antworten, geben Sie dem Frager Gelegenheit nachzuhaken, und da kommen Sie nur sehr schwer wieder heraus. Wenn Sie sagen: „Nein du, das geht im Moment nicht", bietet sich die Frage an: „Wann geht es dann?" Es klingt wie eine Aufforderung, die Anfrage in Kürze noch einmal zu wiederholen.

43

Die Formulierung muss wie eine unumstößliche Entscheidung klingen: „Nein, ich habe mich dagegen entschieden, weil ...", „nein, ich möchte es nicht, weil ...", „nein, ich habe beschlossen, es nicht mehr zu tun, weil ..."

Begründungen Später, wenn Sie ein geübter Neinsager geworden sind, können Sie die Begründung weglassen. Es ist nicht notwendig, dass Sie vor anderen Ihr halbes Leben ausbreiten. Zunächst aber wirken Begründungen etwas abmildernd, wenn ein Nein notwendig wird.

Es gibt viele wichtige Gründe, manchmal Nein zu sagen:

- Sie können es ohnehin nicht allen recht machen.
- Wenn Sie sich nur um andere kümmern, vernachlässigen Sie sich selbst.
- Wenn Sie Nein sagen, lehnen Sie lediglich eine Bitte oder eine Forderung ab – Sie weisen nicht die Person zurück.

> Neinsagen bedeutet nicht, andere vor den Kopf zu stoßen, sondern eigene Bedürfnisse geltend zu machen.

Ungewöhnlich reagieren Allmählich haben Sie die besten Grundlagen für das Schlagfertigsein. Nehmen Sie den Begriff wörtlich, denn Sie machen sich „zum Schlag fertig". Der Schlag kann von Ihnen ausgehen oder ein Gegenschlag sein. Dazu gehört (wieder einmal) mehr, als nur sprachlich gewandt zu sein. Zum Beispiel, ungewöhnliche Dinge zu tun, die niemand von Ihnen erwartet, wie: sich öfter mal in den Vordergrund zu drängen, denn durch gutes Kontern geraten Sie automatisch in den Mittelpunkt. Das müssen Sie aushalten können.

Übung:

1. Melden Sie sich (privat) am Telefon mit irgendeiner Quatschantwort, zum Beispiel: „Hier Vorzimmer Beate Uhse, was kann ich für Sie tun?" Wenn Sie sonst eher schüchtern und zurückhaltend sind, müssen Sie jetzt die Verwunderung Ihrer Freunde aushalten. Fällt Ihnen das bereits schwer, dann sehe ich schwarz für Ihre Schlagfertigkeit und die Kunst, im Mittelpunkt zu stehen.

2. Besprechen Sie Ihren Anrufbeantworter neu, zum Beispiel mit dem Text: „Vergnüge mich mit meinem Liebhaber auf der Couch und möchte jetzt nicht gestört werden."

3. Mischen Sie sich öfter in Gespräche ein, auch bei Themen, die Ihnen eher gleichgültig sind oder wo Sie sich nicht 100-prozentig sicher sind. Bleiben Sie nicht deshalb stumm, weil Sie auf dem Standpunkt stehen: „Das ist mir nicht so wichtig."

4. Spielen Sie ab und zu den „advocatus diaboli" und beleuchten Sie spaßeshalber die Gegenseite der von anderen genannten Ansicht. Behaupten Sie einfach das Gegenteil und argumentieren Sie aus der Kehrseite.

Frech sein bedeutet auch, im Gehirn schnell Verbindungen herzustellen. Machen Sie folgende Übung, um assoziatives Denken zu trainieren, und stoppen Sie dabei die Zeit:

Übung:

Sie sollten nicht länger als 1,5 Minuten brauchen, um für jeden Begriff etwa fünf Assoziationen zu finden.

6. Neinsagen – wie geht das?

Brot: *Hunger, Wurst, Butter Krümel, Marmelade*

Fenster: *Regen, Glas, Lärm, Landschaft, Straße*

Schreibtisch: _____

Finanzamt: _____

Universität: _____

Metzger: _____

Seminar: _____

Brille: _____

Steckbrief: _____

Chef: _____

Telefon: _____

Supermarkt: _____

Assoziativ denken Der Sinn dieser Übung ist, bei einem Angriff aus den Worten des Angreifers eventuell sofort einen Konter abzuleiten. Dazu müssen Sie die Kunst des assoziativen Denkens beherrschen. Beispielsweise sagt der Angreifer: „Mein Gott, bist du dick geworden", und Sie kontern sofort mit „lieber dick als doof", was ja eine typische Assoziation ist.

7. Wie selbstbewusst treten Sie auf?

Oft genug haben wir darüber gesprochen:

> Um gut kontern zu können, brauchen Sie nicht nur ein paar flotte Sprüche, sondern auch die passende Ausstrahlung.

Und ob Sie es glauben oder nicht, sobald die Ausstrahlung stimmt, müssen die Sprüche oft gar nicht mehr sein. Hier ein Beispiel für die Wirkung einer selbstbewussten Ausstrahlung:

In einem bestimmten Viertel von New York werden Menschen – in erster Linie Frauen – häufig verfolgt und angegriffen oder ausgeraubt. Der Verfolger kann davon ausgehen, dass die Reaktionen der Verfolgten fast immer die gleichen sind: Sie werden schneller und glauben, dadurch den Verfolger abschütteln zu können. Dieser lässt sich nicht abschütteln, sondern bleibt dem Opfer auf den Fersen. Dieses gerät dadurch in Panik und ist somit in seiner Abwehr geschwächt. Als Gegenwehr entstand der „New Yorker", was Folgendes bedeutet: Der Verfolger folgt seinem Opfer – das Opfer merkt das und strafft sich, um sich – in einem für den Verfolger völlig überraschenden Moment – plötzlich umzudrehen, eine kerzengerade Haltung einzunehmen, gleichzeitig mit einem Fuß aufzustampfen und dabei dem Typen fest in die Augen zu blicken. Der fällt fast um vor Schreck und haut ab.

Powervoll auftreten

Meine Freundin und ich haben das in Deutschland einmal ausprobiert. Wir liefen im Frankfurter Bahnhof im S-Bahn-Bereich und wurden von zwei finsteren Gestalten verfolgt. Sie hingen uns dicht auf den Fersen. Ich zischte meiner Freundin zu: „New Yorker", sie nickte, ich zählte: „Eins, zwei, drei …" Bei drei drehten wir uns blitzschnell um, stampften beide zur gleichen Zeit fest mit dem Fuß auf und jede von uns blickte jeweils einem der „Herren" fest in die Augen. Dass die nicht einem Herzinfarkt erlegen sind, halten wir heute noch für ein Wunder. Durch die Bewegung, die dadurch entstand, wurde die Untergrundpolizei aufmerksam und kam sofort, um uns zu fragen, ob wir Hilfe bräuchten. Wir erklärten, sie sei nun nicht mehr notwendig.

Erinnern Sie sich: Wer den Buckel hinstreckt, muss sich nicht wundern, wenn jemand draufhaut. Wenn Sie wie ein Opferlamm durch die Welt gehen, werden Sie damit einen Täter aktivieren. Die Psychologie spricht sogar vom Opfer als Täter.

Machtvakuum Die Opferrolle (auch Machtvakuum genannt) wird bereits in der Kindheit geprägt: Kinder, die Widerworte geben, werden bestraft, Kinder, die lieb sind (sich unterordnen), haben es leichter. Ein braver Bub oder ein liebes Mädchen: ein pflegeleichtes Sonnenscheinchen für die Eltern und überall gut „vorzeigbar". Dafür wird den Kindern der Eigenwille aberzogen, aus dem „Ich will" wird ein „Wie Ihr wollt". Daher hat Machtanspruch immer noch etwas „Unmoralisches", denn er geht einher mit dem Anspruch: Ich will über dich bestimmen. Der natürliche Umgang mit Macht ist auch heute noch ziemlich schwierig – da Macht und Machtmissbrauch semantisch in einen Topf geworfen werden.

Nennen wir Ihr zukünftiges Auftreten also nicht „machtvoll", sondern selbstbewusst. Was unterscheidet selbstbewusste Menschen von verängstigten?

■ Selbstbewusste Menschen treten fest auf und schleichen nicht mit eingezogenem Kopf dicht an der Hauswand entlang.

■ Selbstbewusste Menschen halten festen Blickkontakt und weichen nicht unsicher den Blicken anderer aus.

■ Selbstbewusste Menschen haben eine gerade Haltung und beanspruchen „Raum", wo immer sie gehen oder sitzen, und quetschen nicht die Arme fest an den Körper (machen sich nicht klein).

■ Selbstbewusste Menschen drücken sich klar aus, sprechen eine deutliche Sprache mit einer „bestimmten" Stimme. Sie vermeiden „indirekte Sprache" („man könnte ja mal wieder ein Wochenende zusammen verbringen" statt „ich möchte mit dir das Wochenende verbringen").

■ Selbstbewusste Menschen setzen Grenzen und sagen „Nein", ohne ein schlechtes Gewissen zu haben.

■ Selbstbewusste Menschen strahlen eine natürliche Freundlichkeit aus, ohne das „Bitte-habt-mich-lieb-Lächeln".

■ Selbstbewusste Menschen behandeln sich selbst so, wie sie von anderen behandelt werden wollen – nämlich gut.

■ Selbstbewusste Menschen sagen danke, wenn sie etwas erhalten haben, aber nicht, um sich dafür zu bedanken, dass man sie überhaupt wahrgenommen hat.

■ Selbstbewusste Menschen formulieren ihre Meinung nicht in Frageform, sondern sagen, was sie denken.

**Merkmale
selbstbewusster
Menschen**

49

7. Wie selbstbewusst treten Sie auf?

Eine selbstbewusste Ausstrahlung (ohne aufgeblasen oder arrogant zu sein) lockt von vornherein keine Angreifer aufs Parkett.

> Stärke schreckt ab. Also, gleichgültig, welche Stärke Ihr Angreifer signalisiert, zeigen Sie noch mehr.

Menschen, die unter dem Zwang stehen, immer lieb sein zu müssen, kann man vergleichen mit Menschen, die nur auf einem Bein durchs Leben hüpfen. Das zweite hängt in der Luft und wird geschont. Daher sind diese Menschen auch so schnell „umzuwerfen".

Bitte schauen Sie sich nachfolgende Tabelle an und füllen Sie aus, was Ihrer Meinung nach auf die rechte Seite gehört, um der „lieben" linken Seite ein Gegengewicht zu geben. Mit dem „bösen Bein" ist nicht gemeint, dass Eigenschaften wie zum Beispiel Neinsagen oder Lächeln schlecht sind, der Begriff wird hier lediglich als Stilmittel verwendet, um „plus" und „minus" gegeneinander aufzuwiegen. Sobald die Liste vervollständigt ist, werden Sie auf beiden Beinen gehend ein völlig neues Lebensgefühl entwickeln und mit Begeisterung jeden Angriff abwehren.

Übung:

Suchen Sie einen sinnvollen Gegensatz zum „lieben Bein".

„liebes Bein"	„böses Bein" = selbstbewusst auftreten
Dauerlächeln *(Bitte mag mich)*	
die Augenlieder senken *(Ich bin ganz bescheiden)*	

50

enge Bewegungen *(zurückhaltend sein)*	
leise Stimme *(nicht auffallen)*	
Entschuldigung, *(dass ich geboren bin ...)*	
Ich bin nur die Sekretärin *(Herabsetzung)*	
eigentlich ... *(abschwächen)*	
vielleicht *(könnten Sie ...)*	
irgendwie *(komme ich nicht ganz klar ...)*	
Fragen: *„Finden Sie nicht, dass* *wir viel zu oft Überstunden machen?"*	
Danke ..., *(dass Sie mich beachten)*	
Konflikte vermeiden *(Harmonie)*	
Null-Abwehr *(keine Abgrenzung)*	
Immer für andere da sein *(keine eigenen Bedürfnisse)*	

8. Wie ist ein Angriff gemeint?

Angreifer streiten Angriff ab

Das ist eine gute Frage, oder? Das würden diejenigen, die den Angriff wegstecken müssen, auch gerne wissen. Ich habe viele „Angreifer" befragt. Immer wenn ich merkte, jetzt fühlt sich jemand sichtlich bedrängt, ging ich zu dem „Bedränger" und fragte ihn nach seiner Absicht. Alle, aber auch restlos alle, die ich gefragt habe: „Was sollte denn der Angriff jetzt?", konnten gar nicht verstehen, dass die Frotzelei als Angriff gewertet wurde. Sie antworteten: „Mein Gott, sollen die doch nicht so empfindlich sein." Oder: „Man wird doch mal einen Scherz machen können." Oder: „War doch nicht so gemeint."

Klingt fast so, als ob im Grunde genommen immer der Angegriffene verantwortlich dafür ist, dass aus einer „harmlosen" Bemerkung ein Molotowcocktail wird. Sicher ist vorstellbar, dass es im Dialog unter vier Augen oft nicht „so gemeint" war. Man wollte den anderen bloß ein bisschen necken.

Bewusste Angriffe

Ganz so harmlos sehe ich es nicht. Vor allem nicht in größeren Gruppen. Ich unterstelle, dass der Vorteil des bewussten Angriffs darin liegt, den Gesprächspartner durch gezielte Provokation zu verunsichern. Das ist sehr häufig in Verhandlungen mit mehreren Beteiligten zu beobachten (siehe auch Seite 93). Hier soll der Gesprächspartner zu unbedachten Äußerungen provoziert, aus dem Konzept gebracht, blamiert oder einfach nur

52

„mundtot" gemacht werden. Sollten Sie sich nicht sicher sein, ob hinter dem Angriff wirklich Absicht steckte oder nur der berühmte Fettnapf im Weg stand, dann fragen Sie einfach nach. Damit sind Sie immer auf der sicheren Seite und können sich viel Gedankenakrobatik ersparen.

Es gibt Menschen, die – wenn sie irgendwo einen Fettnapf entdecken – sofort mit beiden Füßen hineinspringen. So kann es dann zu dem unseligen Satz kommen: „Finden Sie Ihre Krawatte nicht ein bisschen knallig? Aber na ja, irgendwie passt sie ja zu Ihnen, gehen Sie mit in die Kantine?" Unter Umständen war das sogar als Kompliment gedacht, aber extrem ungeschickt formuliert. Sie werden wahrscheinlich dann etwas süßsauer reagieren, wenn Sie sich mit Ihrer Krawatte tatsächlich nicht so besonders wohl fühlen. Wenn Sie sie toll finden, wird Sie das missglückte Kompliment eher nicht stören.

Ungeschicktes Verhalten

Auf der anderen Seite gibt es Menschen, die hören aus allem, aber wirklich aus allem, etwas heraus, was gar nicht drin ist und was sie leicht als Angriff werten können. Wenn jemand wütend ist: fühlen sie sich beschuldigt. Wenn jemand lacht: fühlen sie sich ausgelacht. Wenn jemand guckt: fühlen sie sich gemustert. Wenn jemand wegguckt: fühlen sie sich ignoriert. Friedemann Schulz von Thun hat in seinem Buch *Miteinander reden* über diese Menschen geschrieben, dass sie ein ausgeprägtes Beziehungsohr besitzen. Er drückt es so aus, dass diese Menschen ständig auf der Beziehungslauer liegen und gucken: „Wo sind die gegen mich gerichteten Gemeinheiten?"

Empfindliche Menschen

Somit ist es möglich, dass Ihr Konterwunsch daraus resultiert, dass auch Sie in einer solchen „Beziehungsfalle" stecken, und sobald diese sich auflöst, auch der Wunsch nach der „Hammerantwort" verschwindet.

9. Männer und Frauen: Gibt es verbal etwas Gegensätzlicheres?

Männer wollen immer gewinnen

Deborah Tannen erwähnt in ihrem Buch *Job Talk* den oppositionellen Schlagabtausch in der Diskussion. Sie erläutert hochinteressant, dass Männer jeden verbalen Schlagabtausch um jeden Preis gewinnen möchten und dazu die verbale Opposition benutzen – unabhängig davon, ob sie von der eigenen Ansicht überzeugt sind oder nicht. Frauen sind in dieser Disziplin nicht zu Hause und können dazu neigen, den Schlagabtausch als persönlichen Angriff zu werten. Da sie diese rituellen Herausforderungen nicht kennen, hören Frauen eventuell auf dem „lieben Bein" stehend zu und zweifeln dann schneller an ihrem eigenen Wissen. Sie fühlen sich verunsichert. Das Grübeln darüber lenkt sie vom Sachverhalt ab und sie geraten immer tiefer ins gedankliche Aus. Weil sie sich persönlich angegriffen fühlen, hören sie eventuell Kritik, schon bevor die eigene Idee zu Ende gedacht ist.

Männer unterbrechen Frauen

Weiter müssen Frauen noch damit fertig werden, dass Männer Frauen häufiger unterbrechen als Frauen Männer. Das macht auf Dauer „einen dicken Hals", und der Wunsch nach einem guten Konter wird immer intensiver (was auch wieder von der Sache ablenkt!). Die Wirkung ist, dass sich manche Frauen nach relativ kurzer Zeit in Diskussionen in Männerrunden klein, schwach, ängstlich und unsicher fühlen. Sie geraten in Di-Stress (negativer Stress) und provozieren damit noch mehr Angriffe.

> Männer sehen sich in der Rolle als Diskutierer machtvoller als Frauen und fühlen sich angespornt, die eigene (bis dahin noch nicht unbedingt sehr schlüssige Argumentation) immer stichhaltiger zu machen.

Sie betrachten diese Art der Diskussion als befriedigende Herausforderung und wachsen mit der Anforderung an überzeugendes Argumentieren aus der schwachen Position heraus. Der Verstand arbeitet kristallklar und dadurch entwickeln sie glänzende Ideen, die ihnen ohne den Anreiz zu „kämpfen" nie eingefallen wären. Sie geraten in Eu-Stress (positiver Stress). Rituell gesehen, stellen Männer keine Fragen – sondern beantworten sie. Sie entschuldigen sich nicht – sie erteilen Absolution. Sehr schön nachzulesen bei John Gray in *Männer sind anders, Frauen auch!*

Jetzt wissen Sie auch den Grund, weshalb Frauen Männer manchmal würgen könnten oder ihnen so eine verbale Flanke versetzen möchten, dass die Mannsbilder tagelang ihren rituellen Schlagabtausch vergessen. Ich habe festgestellt, dass mit dem wachsenden Verständnis für solche Rituale die eigene (weibliche) Wut verschwindet. Und damit auch der Wunsch nach gnadenloser Schlagfertigkeit.

Rituale verstehen

10. Wie kontern Sie gekonnt?

Sich vom Rachedruck befreien Lassen Sie uns zusammenfassen, aus welchem Grund wir uns nach verbalem Zurückschlagen sehnen. Vielleicht löst sich durch dieses Wissen der Konterwunsch ganz spielerisch von alleine auf. Damit erhalten Sie sich Energien für das wirkliche Kontern und verschwenden sie nicht an einem „Nebenkriegsschauplatz". Sie befreien sich von dem Druck des Rachegedankens und werden in vielen Situationen gelassener. Und hier schließt sich der Kreis: Sie werden kreativer und können dann auch besser kontern.

Hier noch einmal die Gründe, die uns leicht in Situationen bringen, in denen wir uns Schlagfertigkeit wünschen, und das verbale Zurückschlagen gleichzeitig verhindern:

- der Antreiber (Stopper) aus der Transaktionsanalyse,
- immer den Sinnzusammenhang erkennen zu wollen,
- frech sein nie gelernt zu haben,
- immer auf dem „lieben Bein" zu stehen,
- nicht schnell genug assoziieren zu können,
- in die rituelle Opposition zu geraten,
- das Beziehungsohr ausgeklappt zu haben,
- nicht Nein sagen zu können,
- es allen recht machen zu wollen,
- „lieb Kind" zu sein,
- unter ausgeprägter, höchster Ärgerbereitschaft zu leiden,
- zu schnelle Werturteile zu bilden.

Schluss mit der ganzen Psychologie! Jetzt geht es wirklich um Sätze und Fertigkeiten zum „Schlagen". Wo passieren die klassischen Angriffe? Überall. Im täglichen „Kleinkrieg" am Arbeitsplatz werden wir oft mit dummen Sprüchen konfrontiert; bei Familienfeiern kann es passieren, dass Onkel Willi dringend meint, mal wieder den Richter spielen zu müssen, und ungefragt zu jeder Begebenheit seinen Senf beisteuert; in Geschäften, bei der schlichten Frage nach dem Preis, haben wir schon dumme Antworten erlebt. Manchmal ist es der Vorgesetzte, der unsachliche Kritik äußert, und immer wieder erleben wir in Konferenzen Angriffe, die uns mundtot machen.

Wo passieren Angriffe?

Übung:

Kreuzen Sie an, bei welcher Gelegenheit Sie „gekonnter kontern" möchten:

1. Ihrem Vorgesetzten gegenüber ❏
2. Einem Kollegen gegenüber ❏
3. Einer Kollegin gegenüber ❏
4. In Konferenzen ❏
5. In Verhandlungen ❏
6. Bei patzigen Antworten im Kaufhaus ❏
7. Bei der „Autorität in Weiß" (Arzt) ❏
8. Beim Kunden ❏
9. Bei einer speziellen Frau ❏
10. Bei einem speziellen Mann ❏
11. _____ ❏

Sobald Sie die Situation eingekreist haben, in welcher Sie Angriffe am intensivsten erleben, machen Sie bitte noch einen kurzen Check. Sammeln Sie die Angriffe, welche Ihnen bislang die Sprache verschlugen. Dann haben Sie es später leichter mit dem Kontern.

Angriffe auflisten

Übung:

Auf diese Sprüche möchte ich schlagfertiger reagieren können:

Zum Beispiel: *„Sobald Sie auftauchen, ist das Chaos perfekt!";*

„Nennen Sie das Intelligenz?"

_____

_____

_____

_____

_____

_____

Der Angriff ist ausgesprochen und alle Reaktionen in Ihnen erfolgen gleichzeitig und schlagartig. Der Körper signalisiert SOS. Sie wollen sofort zurückschlagen. Sie wollen Ihre Rachegelüste befriedigen. Sie wollen kontern. Sie wollen den Angreifer verbal in den Boden treten. Auf gar keinen Fall wollen Sie sprachlos dastehen, stumm bleiben, perplex sein, hilflos wirken, rot werden, sich als Verlierer fühlen, blamiert sein – sich also geschlagen davonschleichen müssen.

Beruhigen Sie sich, diese Zeiten sind vorbei. (Vorausgesetzt, Sie haben sich durch die ersten Kapitel dieses Buches besser kennen gelernt und wissen, wie Sie auftreten müssen.) Klar können wir alle die völlig verständlichen Konterwünsche befriedigen, allerdings bekanntlich erst viele Stunden nach dem Angriff. Das ist sehr unbefriedigend, deshalb reagieren Sie ab jetzt wie im Folgenden beschrieben.

16 Konter-Möglichkeiten

Je nach Ihrem Typ und nach der Situation helfen Ihnen folgende Techniken, treffsicher zu kontern:

1. Aktivieren Sie augenblicklich Ihren Schutzballon!
2. Schweigen Sie Ihren Gegner nieder!
3. Werfen Sie einen anderen Ball zurück!
4. Antworten Sie mit der kürzesten Antwort der Welt!
5. Reden Sie Nonsens!
6. Verstehen Sie absichtlich nichts!
7. Stimmen Sie zu!
8. Machen Sie ein unerwartetes Kompliment!
9. Kontern Sie empathisch!
10. Drücken Sie Ihr Bedauern aus!
11. Intervenieren Sie paradox!
12. Finden Sie Ihren persönlichen Vorteil!
13. Geben Sie indirekt Kontra!
14. Geben Sie vergleichend Kontra!
15. Kontern Sie mit Gegenfragen!
16. Kontern Sie mit „Stimmt genau"!

1. Aktivieren Sie augenblicklich Ihren Schutzballon!
Der Angriff erfolgt und unmittelbar denken Sie: „Was kümmert es den Mond, wenn ihn ein Hund anbellt" und schlüpfen in Ihre Schutzhülle, welche sich wie ein Airbag aufgeblasen hat. Ein wunderbares Gefühl. Sie können alles beobachten und hören, dennoch prallt es an Ihnen ab (vgl. Seite 16).

Das ist allerdings die Kunst. Nicht jeder hat die Vorstellungskraft, sich in dieser Schutzhülle zu sehen. (Sie erinnern sich, Sie haben sie ursprünglich unter einer Dusche stehend aktiviert; es kam kein Wasser, sondern helles Licht, welches Sie komplett einhüllte.) Es gelingt

Eigene Vorstellungskraft anregen

nur den visuellen Menschen, sich sogleich darin zu sehen. Den auditiven Menschen unter Ihnen gelingt es eher dadurch, dass Sie sich das Aufblasgeräusch vor Ihr geistiges Ohr stellen. Sie hören förmlich das laute Zischen, und schon stehen Sie in dem durchsichtigen Ballon. Während die kinästhetischen Menschen sofort das wohlige Gefühl spüren, welches diese Schutzhülle vermittelt, riechen die olfaktorischen Menschen den angenehmen Duft um sie herum. Gustatorische Typen schließlich verbinden die Schutzhülle mit einem angenehmen Geschmack auf der Zunge.

5 Wahrnehmungs- kanäle

Die Unterscheidung der bevorzugten Sinneseindrücke stammt auch aus dem NLP (Neurolinguistisches Programmieren) und hat folgenden Hintergrund: Die Sinne sind unsere Tore zur Welt. Es gibt insgesamt fünf Wahrnehmungskanäle, durch welche die Außenwelt in uns eindringt: sehen, hören, fühlen, riechen, schmecken.

Fast jeder Mensch kann sehen, hören und fühlen. Dem einen liegt das Hören aber vielleicht mehr als das Sehen, dem anderen das Fühlen mehr als das Hören. Jeder hat seinen Sinneskanal, mit dem er überwiegend oder besonders intensiv wahrnimmt. Die Tatsache, dass die meisten Menschen einen Lieblingssinn haben, macht es leichter, ihr Verhalten abzuschätzen, und die Kommunikation wird einfacher.

Der visuelle Typ

Der visuelle Typ bevorzugt die Teile der Realität, die man sieht. Rund die Hälfte aller Sinneseindrücke sind Sehempfindungen. Mit den Augen erfassen wir Form, Größe, Oberflächenbeschaffenheit, Farbe und den relativen Abstand der Dinge zueinander. Das Auge erlaubt Wahrnehmung aus der Distanz heraus. Es sieht noch, was wir nicht mehr riechen, schmecken oder fühlen können.

Der auditive Typ achtet auf Geräusche, ist eher lärmempfindlich, kann gut zuhören. Das Gehör ist eine der wesentlichen Voraussetzungen für die Entwicklung der Sprache und deshalb auch von größter Bedeutung für die zwischenmenschlichen Beziehungen.

Der auditive Typ

Der kinästhetische Typ bevorzugt die Teile der Realität, die man fühlt (taktil, emotional). Das Organ, mit dem wir fühlen, ist das größte des menschlichen Körpers – die Haut. Sie stellt die Grenze zwischen außen und innen dar. Gerade das Gefühlte unterliegt starken Bewertungen, ohne dass diese bewusst wahrgenommen werden. Zum Beispiel, ob unseren Rücken ein Eiswürfel entlang rutscht oder ob wir ein Kätzchen streicheln – wir empfinden es als angenehm oder unangenehm.

Der kinästhetische Typ

Der olfaktorische Typ orientiert sich an Gerüchen, der gustatorische Typ am Geschmack. Nicht selten sind diese Neigungen verbunden mit taktilen, also kinästhetischen Fähigkeiten.

Der olfaktorische und der gustatorische Typ

Sie können am Ende des Buches einen Test machen, in dem Sie erfahren, zu welcher der genannten Kategorien Sie zählen (vgl. Seite 111). Sie haben es danach etwas leichter zu schauen (visuell ausgedrückt), wie Sie in Ihre Schutzhülle kommen.

Zurück zum Angriff: Sie sind (egal, auf welchem Kanal) in Ihre Schutzhülle geschlüpft und fühlen sich darin rundum wohl. Der Angreifer hingegen steht da wie die Schlange vor dem Kaninchen und lauert auf Ihre Reaktion. Stellen Sie sich vor: Es kommt einfach keine … Er wartet ganz umsonst. Das entscheiden nämlich Sie, ob Sie grundsätzlich die Erwartung anderer befriedigen müssen oder ob Sie selbst entscheiden, was Sie tun.

Den Angreifer „schmoren" lassen

61

2. Schweigen Sie Ihren Gegner nieder!

Beispiel: *Jemand sagt Ihnen: „Du siehst aus, als ob du in einem Heuschober geschlafen hast."*

Sie sind zunächst völlig überrascht und suchen nach einer Antwort. Ab heute muss die Antwort nicht mehr verbal ausfallen, sondern ist auch nonverbal möglich.

Keinen Kommentar geben

Sie nehmen eine aufrechte Haltung ein und schauen in aller Ruhe Ihrem Gegner in die Augen. Kommentarlos! Ein leises verächtliches Lächeln umspielt Ihre Lippen. Sie denken sich: „Was kümmert es eine Eiche, wenn sich eine Sau an ihr schabt", und genau diese Einstellung legen Sie in Ihr Gesicht. Es muss Ihnen aus allen Poren springen, dass Sie niemals die Absicht haben werden, sich auf dieses Gesprächsniveau einzulassen. Im Gegenteil, Ihr Gegner tut Ihnen sogar ein bisschen Leid, dass er überhaupt zu solch billigen Anwürfen greifen muss. Er hat doch ein trauriges Dasein, wenn er glaubt, nur mit „Dummdeutsch" Punkte sammeln zu können. Ziehen Sie eine Augenbraue etwas nach oben und schütteln Sie leicht den Kopf. Dann wenden Sie sich ab und gehen zur Tagesordnung über. Sie müssen diese Stimmung jetzt förmlich beim Lesen spüren! Sie signalisieren: Ich habe gehört, was du gesagt hast, aber ich entscheide mich dafür, dich und deinen Mist zu ignorieren.

Psychologischer Hintergrund für den Erfolg dieser Taktik:

> Der Mensch kann alles ertragen, nur nicht, dass man ihn ignoriert.

Ignoranz löst in einem hohen Maß Aggressionen aus. Das können Sie bei Kindern beobachten, die sich nicht genügend beachtet fühlen. Was machen sie, um sich wieder ins Spiel zu bringen? Irgendeinen Blödsinn wie eine Vase herunterwerfen, mit dem Ball in der Wohnung kicken oder Ähnliches.

Da alles im Einklang sein muss, damit der Konter gelingt, hier die nonverbale Reaktion: Antworten Sie mit Ihrer Körpersprache.

Körpersprachlich antworten

Beispiel: *Sie stehen mit Kollegen im Konferenzraum in lockerer Runde – die Sitzung hat noch nicht begonnen. Der Angreifer nähert sich der Gruppe und sagt zu Ihnen: „Sie sind doch allgemein als Faultier bekannt." (Körpersprachliche) Antwort: Sie lächeln unnachahmlich, so wie Sie einem guten Bekannten herzlich zulächeln würden, und gehen einen Schritt auf ihn zu und dann knapp an ihm vorbei – ohne ihn dabei aus den Augen zu lassen. Sie dokumentieren damit: „Ich habe mich entschieden, dieses Szenario zu verlassen, mich körperlich von dir, du armer Angreifer, zu entfernen."*

Jetzt kommen vielleicht Zweifel bei Ihnen auf, wie: „Hat er jetzt nicht den Eindruck, ich würde kneifen?", „er muss doch jetzt denken, mir fällt nichts ein", „die anderen betrachten meine Reaktion als Rückzug und damit habe ich verloren …"
Sehen Sie, jetzt ist die Kunst gefragt, durch die richtige Körperhaltung zu dokumentieren, was Sie nicht aussprechen. Hier wird wahr, dass nicht gescheite Sprüche den Kontersegen darstellen, sondern Sie und Ihr Körper.

Sie können den Angreifer auch anschauen, ihm lange in die Augen schauen, dann fangen Sie langsam an zu nicken, zusätzlich lächeln Sie weise vor sich hin, so als ob Sie gerade die Erkenntnis über den Angreifer gewonnen

Den Angreifer fixieren

hätten. Dann gehen Sie wieder zur Tagesordnung über. Sie standen ja nicht rum und warteten darauf, dass Sie endlich jemand angreift, sondern Sie hatten ein Ziel. Also stellen Sie Ihr Ziel wieder an die erste Stelle und ignorieren Sie den Angreifer.

Bitte probieren Sie es aus, es wird Sie verblüffen, wie schnell Sie den Angreifer los sind. Denn diese Art von Gesprächspartnern erwartet etwas ganz anderes von Ihnen, zum Beispiel Stottern, Erröten, Suchen nach unsinnigen Antworten, Verteidigung usw. Stille und demonstrierte schweigende Stärke erwartet kein Mensch! Nutzen Sie diese Chance. Wichtig ist dabei, dass Sie Ihre nonverbale Reaktion niemandem gegenüber kommentieren.

Übung:

Wie können Sie aktiv „nichts tun"?
„Ihre Faulheit ist sprichwörtlich."

_____

_____

„Sie können ja auch ohne Alkohol lustig sein."

_____

_____

„Sie sind impertinent."

_____

_____

Lösungsvorschläge finden Sie auf Seite 119.

3. Werfen Sie einen anderen Ball zurück!

Lassen Sie den Angriff an sich abtropfen wie Wasserperlen an der Fensterscheibe. Sie zeigen dem Angreifer, dass Sie nicht getroffen sind, dass Sie nicht die Absicht haben, sich zu verteidigen oder zu rechtfertigen oder gar einen Gegenangriff zu starten. Es steht Ihnen frei, jedes andere Thema zu wählen: vom Wetter über Bohnensuppe bis hin zu aktuellen Börsenkursen oder Ähnlichem. Niemand kann Ihnen ein Gesprächsthema aufdrängen, wenn Sie nicht wollen.

Beispiel: *Angriff: „Schalten Sie das nächste Mal das Hirn vorher ein – sofern überhaupt vorhanden."*
Antwort: „Es ist ärgerlich, dass die Maximilianstraße derzeit nur einspurig befahrbar ist, damit habe ich jeden Morgen eine Umleitung. Fahren Sie mit den Öffentlichen?"

Angenommen, der Angreifer bleibt stur bei seinem Angriff und hakt nach, wie zum Beispiel: „Sie sind bescheuerter als ich dachte", dann kontern Sie mit dem nächsten Themenwechsel: „Finden Sie nicht, dass das Essen in der Kantine heftig an Qualität verloren hat, gehen Sie da noch essen?"

So wird auch der dümmste Angreifer allmählich merken, dass Sie an seinem Thema kein Interesse haben. Sollte er trotzdem noch einmal nachhaken, dann sprechen Sie Ihre Gedanken offen aus: „Ich habe kein Interesse daran, mit Ihnen über mein Hirn zu reden!"

Beachten Sie bei dieser Technik Folgendes:
- Antworten Sie nicht auf den Angriff, sondern fangen Sie an, von einem vollkommen anderen Thema zu reden.
- Sie müssen nicht immer höflich auf jedes Thema eingehen.

65

10. Wie kontern Sie gekonnt?

- Je banaler Ihre Antwort ist, umso besser.
- Geben Sie keine Erklärung ab.

Sich nicht provozieren lassen

Ich höre schon Ihre Gegenargumente: „Ich kann doch solche Angriffe nicht einfach im Raum stehen lassen, sonst meinen die anderen noch, sie kämen damit durch." Überlegen Sie: Lassen Sie sich gerne fremdbestimmen? Oder entscheiden *Sie* darüber, wann Sie etwas sagen oder nicht sagen, „richtig" sagen oder „falsch" sagen? Sonst geben Sie anderen mit jeder Bemerkung Macht über sich.

> Nur Sie entscheiden, ob Sie auf den anderen eingehen oder nicht. Motto: Die Hunde bellen, aber die Karawane zieht weiter.

Übung:

Werfen Sie einen anderen Ball zurück:
„Sie haben keine Ahnung!"

_____

_____

„Sie tragen keine ‚Designer-Klamotten' sondern ‚Container-Klamotten'!"

_____

_____

„Sie arbeiten doch nur für den Papierkorb!"

_____

_____

Lösungsvorschläge finden Sie auf Seite 120.

4. Antworten Sie mit der kürzesten Antwort der Welt!

Diese Taktik bedient unsere Sehnsucht danach, unter gar keinen Umständen „stumm" bleiben zu müssen. Nicht sprachlos dazustehen und zu gucken wie bestellt und nicht abgeholt. Es ist manchmal schon sehr befriedigend, wenn wir uns wenigstens *etwas* sagen hören. Es muss nicht viel sein, es muss nicht überaus intelligent sein, aber es muss zu hören sein! Und – das ist das Schwierigste: Es muss Ihnen etwas einfallen.

Wenn Sie sich von dem hehren Gedanken befreit haben, lange, wohl formulierte Antwortsätze zu finden, greifen Sie auf den Schnelllieferanten im Gehirn zurück. Dort bestellen Sie kurze Antworten wie (zum Beispiel Loriot geantwortet hätte): „Ach was" oder „sieh an", „voll krass", „so, so", „Potz Blitz", „sag bloß", „so was" usw. Sie merken wahrscheinlich bereits selbst, worin die Genialität dieser Antwort besteht (sonst hätte Loriot sie nicht schon lange verwendet): aus genau zwei Wörtern. Es geht auch „sehr freundlich" oder „ganz reizend". Ich garantiere Ihnen, auf dieser Ebene fällt Ihnen immer etwas ein. Nur zwei Wörter.

Kurz und schnell antworten

Sie wenden diesen Zwei-Wörter-Kommentar an, wenn Sie keine Lust haben, unter Ihrem Niveau zu diskutieren. Wenn Sie den Angreifer aufgeplustert im Regen stehen lassen wollen. Wenn Sie sprachlos sind und wenigstens etwas sagen wollen. Wenn Sie den Schwachsinn nicht mehr hören können.

Beispiel:
Angriff: „Ihr Kleid sieht aus, als ob es aus der Mülltonne stammt."
Antwort: „Ach was!"

Übung:

Antworten Sie mit der kürzesten Antwort der Welt:
„Sie sprechen wieder einmal in Rätseln."

_____

_____

„Ein Tritt – und schon bewegen Sie sich."

_____

_____

„Wenn du dein Wissen den Russen preisgibst, wirft die das um 30 Jahre zurück!"

_____

_____

Lösungsvorschläge finden Sie auf Seite 120.

5. Reden Sie Nonsens!

Unsinn reden Haben Sie sich schon einmal einem Angriff ausgesetzt gefühlt, der sinnvoll und intelligent war? Der Angriff kann noch so blöd und geistlos gewesen sein, wir wollen immer den Sinnzusammenhang erkennen und klug darauf antworten. Gescheite Antworten brauchen Zeit. Und solange Sie nach einer intelligenten Antworten suchen, hat der Angreifer Gelegenheit, noch weitere Angriffe nachzulegen. Also, durchbrechen Sie die automatische Sinnsuche und verblüffen Sie mit Ihren Sprichwortkenntnissen.

Beispiel:
Angriff: „Nennen Sie das Intelligenz?"
Antwort: „In allen vier Ecken muss Liebe stecken."

Können Sie sich das Gesicht Ihres Kontrahenten vorstellen? Diese schiere Fassungslosigkeit, die sich darin aus-
breitet? Das verzweifelte Suchen nach dem Sinn Ihrer
Antwort? Diese Ungläubigkeit, die Sie an den weit aufge-
rissenen Augen erkennen? Es ist eine Wonne zu beobachten, wie der Triumph des Angreifers verschwindet und
seine Mimik langsam zu einem richtig „dummen
Gesicht" wechselt. Sollte der Angreifer stotternd nachfragen: „Äh, was sollte denn jetzt die Antwort?", erwidern Sie
gelassen: „Denk ein bisschen darüber nach, dann kommst
auch du dahinter." Danach gehen Sie hoch zufrieden zur
Tagesordnung über.

**Den Angreifer
verblüffen**

Übung:
Sammeln Sie Sprichwörter und antworten Sie damit
auf dumme Sprüche!
Beispiele:

- *Steht im Winter noch das Korn, ist es vergessen
  wor'n.*
- *Es rauscht im Tal der Wasserfall, rauscht nix mehr,
  ist das Wasser all.*
- *Hunde, die bellen, beißen nicht.*

*„Obwohl Sie braune Haare haben, benehmen Sie sich
wie eine Blondine."*

„Sie haben wohl den Anschluss verpasst?"

---

10. Wie kontern Sie gekonnt?

„Sie sind doch ein ‚Homo-valium‘.“

_____

_____

Lösungsvorschläge finden Sie auf Seite 120.

6. Verstehen Sie absichtlich nichts!

Sachlich kontern Diesen Konter können Sie wunderbar bei schwierigen Kunden anwenden, bei Ihrem Vorgesetzten, bei allen Menschen, denen Sie hinterher wieder auf einer normalen, sachlichen Ebene begegnen wollen.

Beispiel: *Sie sind Mitarbeiter einer Werbeagentur und zeigen einem wichtigen Kunden (Riesenbudget) Ihre Entwürfe. Am Ende kommt nur der knappe Kommentar: „Etwas altmodisch und ohne Pep.“ Jetzt ist die Gefahr groß, dass Sie in die Verteidigung Ihrer Ideen fallen. Oder Sie versuchen sich zu rechtfertigen, zum Beispiel: „Wir haben uns strikt an die Vorgaben gehalten.“ Oder: „Sie neigen doch eher zu etwas konservativen Ideen, dem sind wir gefolgt.“*

Sie machen sich damit das Leben nicht leichter. Die Fronten verhärten sich, weil der Kunde sich nicht verstanden fühlt, Sie fühlen sich ebenfalls nicht verstanden. Das gleiche Prinzip führt auch in der Partnerschaft zu einem ewigen nutzlosen Ping-Pong und dann zu Frust.

Nachfragen Also raus aus der Rechtfertigung und rein in die Frage: „Was konkret finden Sie altmodisch?“ Jetzt muss der Gesprächspartner Farbe bekennen. Es kann ja sein, dass er unter „altmodisch“ semantisch etwas völlig anderes versteht als Sie. Auch „Pep“ ist ein so allgemeiner Begriff, dass es wichtig ist zu erfahren, was der Kunde oder der Gesprächspartner konkret darunter versteht. Damit

70

Ihnen diese Frage schnell einfällt, gibt es auch hier einen Trick: Reagieren Sie auf das Wort, das Sie in der vermeintlichen Kritik am meisten gestört hat, und fragen Sie den anderen exakt nach diesem Wort.

Beispiel:
Angriff: „Ihr Verhalten ist wieder einmal typisch!"
Reaktion: „Was verstehen Sie unter ‚typisch'?"

So haben Sie in jedem Falle erst einmal Zeit gewonnen, um mit Ihren eigenen Gedanken und Gefühlen fertig zu werden. Ein weiterer positiver Aspekt ist der, dass Sie durch die konkrete Rückfrage das Gespräch wieder auf eine sachliche Ebene zurückführen und die Gefahr unsinniger Aggressionen erst einmal gebannt ist.

Aggressionen vorbeugen

Übung:
Verstehen Sie absichtlich nichts:
„Ihr Konzept ist farblos und langweilig."

_____

_____

„Sie sind absolut unfähig."

_____

_____

„Sie sprechen wieder einmal in Rätseln."

_____

_____

Lösungsvorschläge finden Sie auf Seite 121.

7. Stimmen Sie zu!
Der Angreifer will Recht haben, bitte geben Sie ihm Recht
(und Sie haben Ihre Ruhe).

Beispiel:
Angriff: *„Das ist doch nicht normal."*
Antwort: *„Wenn es Ihnen jetzt besser geht, ist es nicht nor-
mal."*

**Gleichgültigkeit
demonstrieren** Auch hier kommt es wieder auf Ihre unnachahmliche
Körpersprache an. Alles an Ihnen muss dem anderen zeigen, dass Ihnen das Thema völlig egal ist.

Beispiel:
Angriff: *„Du kommst wohl aus dem letzten Kuhdorf?!"*
Antwort: *„Wenn du damit sagen willst, dass ich es ganz
schön weit gebracht habe, dann stimme ich dir zu."*

Dies ist eine sehr subtile Art, auf den Angriff zu antworten. Sie stimmen nicht einfach zu, sondern bevor Sie dies
tun, hängen Sie noch schnell einen Vorteil für sich dazwischen. Fazit:

> Der Angreifer soll Recht haben, wenn er es zu sei-
> nem Seelenheil unbedingt braucht. Sie stehen über
> solchen Spielchen.

Übung:
Stimmen Sie zu:
„Das ist doch bescheuert!"

_____

_____

„Sie sind absolut unfähig!"

_____

_____

„Sie bringen es nie zu etwas!"

_____

_____

Lösungsvorschläge finden Sie auf Seite 121.

8. Machen Sie ein unerwartetes Kompliment!
Hier können Sie Ihren Wunsch nach Ironie ausleben. Da Sie entschieden haben, sich in Zukunft nie mehr zu verteidigen oder zu rechtfertigen, gefällt Ihnen dieser Konter sicher sehr gut. Sie reagieren überhaupt nicht auf den Inhalt des Angriffs, sondern konzentrieren sich ganz auf den Rahmen – also auf die Worte. Und das auch nur so lange, bis Sie Ihre Antwort losgeworden sind, dann gehen Sie – wie gehabt – zur Tagesordnung über.

Beispiele:
Angriff: „Sie sind absolut unfähig!"
Antwort: „Wie wunderbar Sie formulieren können!"
Angriff: „Das ist doch alles dummes Geschwätz!"
Antwort: „Wie perfekt Sie die Worte aneinander reihen können!"
Angriff: „Sie haben keine Ahnung!"
Antwort: „Ich bewundere Ihre Weisheit."

Bei diesen Antworten muss Ihr Körper (mit der Stimme) Sie wieder unterstützen, damit Sie nicht Gefahr laufen, unterwürfig zu wirken. Bei allen Antworten müssen Sie dokumentieren, dass Sie dem anderen vermeintlich Recht

Ironisch kontern

73

geben, damit es so wirkt, als ob Sie ihm zustimmen. Allerdings hört er deutlich heraus, dass das Gegenteil der Fall ist. Das sind Doppelbotschaften, die nur durch die Inkongruenz (fehlende Übereinstimmung) wirken, denn hier macht der Ton die Musik.

Übung:
Machen Sie ein unerwartetes Kompliment:
„Ihr Vortrag war zum Einschlafen."

_____

_____

„Sie plappern – wie immer – hohle Phrasen!"

_____

_____

„Sie machen Ihren blonden Haaren alle Ehre!"

_____

_____

Lösungsvorschläge finden Sie auf Seite 121.

9. Kontern Sie empathisch!
Diese Technik ist bestens anwendbar bei einem Vorgesetzten, Kunden oder sonst jemandem, bei dem Sie keinerlei Risiko eingehen wollen. Sie behalten hier wieder die Sachlichkeit im Auge.

Beispiel: *Ihr Chef bittet Sie in sein Büro, um mit Ihnen eine Mailing-Aktion zu besprechen, die in den nächsten Tagen gestartet werden soll. Sie legen ihm Ihre Entwürfe vor, die Sie in Kürze der Druckerei zu geben beabsichtigen. Ihr Chef sieht sich die Texte an, schaut Sie an und sagt: „Ich hätte mehr von Ihnen erwartet." Statt jetzt in die Luft zu gehen, bleiben Sie sachlich, spüren in die Situation hinein und kommen zu folgender Erkenntnis: „Er ist nicht zufrieden." Und genau das sagen Sie: „Sie sind nicht zufrieden." Sie schauen ihn dabei fragend an.*

Sie gehen sozusagen in einen neutralen Zustand, bleiben sachlich, haben etwas gesagt und stehen nicht da wie ein begossener Pudel. Sie geben Ihrem Vorgesetzten die Chance, aus dem neutralen Zustand heraus zu antworten.

Die Situation erspüren

Allerdings ist der Haken bei der Sache, dass Sie sich nicht angegriffen fühlen dürfen. Denn sonst geht der ganze „hormonelle Terror" wieder los, mit Adrenalin, Noradrenalin, sich schließenden Synapsen usw. Das ist Übungssache. Bitte üben Sie im Bekanntenkreis, im Freundeskreis, sodass Sie im entscheidenden Moment sofort herausspüren können, wann Empathie vonnöten ist.

Beispiel:
Angriff: *„Sie machen wohl Witze!"*
Antwort: *„Sie sind anderer Ansicht."*

Übung:
Kontern Sie empathisch:
„Wissen Sie eigentlich, was Denken ist?"

75

10. Wie kontern Sie gekonnt?

„Das ist doch ziemlicher Blödsinn, nicht wahr?"

_____

_____

„Haben Sie Tomaten auf den Augen?"

_____

_____

Lösungsvorschläge finden Sie auf Seite 121.

10. Drücken Sie Ihr Bedauern aus!

„Es tut mir Leid, dass Sie das so sehen." Diesen Satz können Sie sich als Standardsatz einprägen. Er passt sozusagen immer. Egal, wer wann was zu Ihnen sagt, antworten Sie mit: „Ich finde es bedauerlich, dass Sie das so sehen." Auch wenn Sie keine Lust haben, sich auf das Thema einzulassen, dann antworten Sie mit: „Schade, dass Sie das so sehen." Fertig.

Keine Energie verschwenden Sie haben das Bedürfnis befriedigt, nicht stumm zu bleiben, Sie waren auch höflich, Sie haben kein Öl ins Feuer gegossen. Was wollen Sie mehr? Stecken Sie keine Energie in die Vorstellung, den Angreifer verändern zu können, sondern verfolgen Sie gelassen weiter Ihr Ziel.

Beispiel:
Angriff: „Sie haben wohl den Anschluss verpasst?"
Antwort: „Es tut mir Leid, dass Sie das so sehen."

Übung:

Drücken Sie Ihr Bedauern aus:
„Ihre Faulheit ist sprichwörtlich!"

_____

_____

„Sie arbeiten doch nur für den Papierkorb!"

_____

_____

„Sie Einfaltspinsel!"

_____

_____

Lösungsvorschläge finden Sie auf Seite 122.

11. Intervenieren Sie paradox!

Beispiele:

Angriff: „Du hast aber ganz schön zugenommen!"

Hier erwartet der Angreifer, dass Sie empört aufschreien und alles verneinen. Ihm die Gewichtstabellen der letzten Tage an den Kopf werfen und sich überhaupt empören über diese eklatante Einmischung in Ihr Privatleben. Das machen Sie genau nicht! Sie sind ein gewitzter „Konterer" und machen das Gegenteil dessen, was erwartet wird, und zwar so übertrieben, dass es absurd wird.

Antwort: „Ja, wir mussten zu Hause bereits die Türen verbreitern."

Angriff: „Immer kommst du zu spät!"

Antwort: „Ja, ich lasse bereits bei Petrus den Tag verlängern."

Ungewohnt denken Auch hier ist Ihr Talent, „Nonsens" zu denken, gefragt. Ihnen fällt garantiert nichts Übertriebenes ein, wenn Sie gewohnt sind, immer vernünftig und analytisch zu denken. Also raus aus den üblichen Denkschienen! Ungewohnt zu denken können Sie üben.

Übung:

Finden Sie in sieben Minuten mindestens 20 Berufsbezeichnungen, in denen der Buchstabe R nicht vorkommt.

1. _____   2. _____

3. _____   4. _____

5. _____   6. _____

7. _____   8. _____

9. _____   10. _____

11. _____   12. _____

13. _____   14. _____

15. _____   16. _____

17. _____   18. _____

19. _____   20. _____

Gar nicht so einfach, oder? Sie fragen sich jetzt vielleicht, was das soll. Diese Übung ist reines Gehirntraining. Sie denken einmal etwas ganz anderes. Das macht Sie fit für schnelle Hirnarbeit. Die brauchen Sie beim Kontern.

Übung:
Intervenieren Sie paradox:
„Du rauchst ganz schön viel!"

„Du trinkst ganz schön viel!"

„Du bist immer so unfreundlich!"

Lösungsvorschläge finden Sie auf Seite 122.

12. Finden Sie Ihren persönlichen Vorteil!
Hier können Sie sich ein wenig Zeit zum Überlegen gönnen, denn der Angreifer wird sich mit Begeisterung in Geduld üben und hoffen, dass Sie unkontrolliert reagieren. Finden Sie heraus, was der Vorteil für Sie sein könnte und gleichzeitig der Nachteil für den Angreifer. Das braucht Übung! Denken Sie an das oben geschilderte Reframing (vgl. Seite 28). Stellen Sie den Angriff in einen anderen Rahmen. Beginnen Sie mit einfachen Varianten.

Beispiel:
Angriff: *„Du Scherzkeks!"*
Antwort: *„Bei mir gibt es wenigstens was zu essen."*

Hier genügt es erst einmal, wenn Sie sofort den Vorteil für sich aus dem Angriff heraushören. Dabei muss Ihnen die

Eigenen Vorteil heraushören

79

vermeintliche „Beleidigung" helfen, die Antwort zu finden. Sie muss wie ein Klingelknopf wirken: Beleidigung – klingeling! – Vorteil. Das befreit Sie von dem Zwang, versehentlich im klassischen Sinn auf den Angriff zu reagieren (mit Verteidigung, Rechtfertigung, usw.).

Wenn Sie in der Anfangsstufe fit sind, können Sie sich mit der nächsten Stufe beschäftigen, nämlich, den „Nachteil" des Angreifers zu erkennen.

Beispiele:
Angriff: „Du bist wohl vom Wickeltisch gefallen?!"
Antwort: „Ja, ich bin wenigstens schon wieder auf dem Weg nach oben, während du dich gerade im freien Fall befindest."
Angriff: „Dich haben Sie als Kind wohl zu heiß gebadet?!"
Antwort: „Ja, ich bin zumindest mit allen Wassern gewaschen, während du noch im Regen stehst."

Hilfswörter „zumindest", „wenigstens" Als Soforthilfe können die Wörter „zumindest" oder „wenigstens" dienen. Hängen Sie in den anschließenden Übungen Ihre Ideen an eines der beiden Wörter. Denken Sie als Erstes „zumindest" … und warten Sie, was das Gehirn liefert. Auf diesem Weg schaffen Sie es leicht, Ihren Konter einzuleiten.

Übung:
Finden Sie Ihren persönlichen Vorteil:
„Sie haben wohl den Anschluss verpasst?!"

„Als Hirn verteilt wurde, haben Sie sich wohl als Letzter gemeldet?"

„Offensichtlich brauchen Sie Ihren Kopf nur zum Schminken!"

Lösungsvorschläge finden Sie auf Seite 122.

13. Geben Sie indirekt Kontra!

Anfangs sprachen wir davon, dass die indirekte Sprache eher zu Missverständnissen führt, eher potenzielle An- **Mit Sprache** greifer aus der Reserve locken kann, da indirekte Sprache **spielen** oft mit Unsicherheit einhergeht (vgl. Seite 37f.). Jetzt, im verborgenen Kontra-Angriff, wird indirekte Sprache kultiviert. Sie setzen sie bewusst ein und spielen mit ihr.

Die indirekte Mitteilung zwingt den Angreifer dazu, selbst nachzudenken, was denn gemeint sein könnte, und das beschäftigt ihn ganz schön. So soll es auch sein.

Beispiele:
Angriff (Lady Astor zu Churchill): „Wenn ich Ihre Frau wäre, würde ich Ihnen Gift geben."
Antwort von Churchill: „Wenn ich Ihr Mann wäre, würde ich es nehmen."
Angriff: „Sind Ihre Perlen echt?"
Antwort: „So echt wie Ihre Zähne."

81

Was verbindet Angriff und Konter? Hier ist Ihr Talent gefragt, etwas Gemeinsames, Verbindendes im Verhältnis von Angriff und Konter zu entdecken. Bei Churchill war es das „Gift", bei den Perlen das „Echt". Zunächst fragt sich der neutrale Betrachter: Was haben denn um Gottes Willen Perlen und Zähne gemeinsam? Dann dämmert es langsam. Ebenso „um die Ecke" gedacht ist die Frage: „Was ist denn Ihr Friseur von Beruf?"

Das, was diese Art des Zurückschlagens schwierig macht, ist der Umstand, dass die Antworten inhaltlich nicht stimmen müssen. Es ist völlig gleichgültig, ob die Zähne echt sind oder ob es sich um teure Jacketkronen handelt. Wenn Sie dazu neigen, nur Dinge zu äußern, die immer richtig, beweisbar, nachvollziehbar, nicht widerlegbar sind, dann werden Sie sich mit dieser Art des Schlagabtausches schwer tun. Wenn Sie hingegen immer schon mal den Wunsch hatten, in Extremsituationen möglichst witzig zu sein, dann sollten Sie sich immer mal wieder von der Wahrheit kurzfristig verabschieden. Hier geht Witz auf Kosten von Wahrheit.

Den Angriff scheinbar ernst nehmen Eine weitere Möglichkeit des indirekten Konterns ist, scheinbar ernsthaft auf den Angriff einzugehen und dann den Angreifer wieder vor ein Rätsel zu stellen.

Beispiele:
Angriff: „Du bist blöder als die Polizei erlaubt!"
Antwort: „Lassen wir das Thema mit geistiger Missbildung, denn du weißt am besten, wie weh das tun kann."
Angriff: „Du kannst nicht Auto fahren!"
Antwort: „Kein Wunder, dass die Autoversicherungen so hoch sind!"
Angriff: „Du bist unfähig!"
Antwort: „Gibt es etwas, was du kannst?"

Ein wenig gemein müssen Sie schon sein, sonst gelingt Ihnen keine schlagfertige Antwort.

Übung:

Verwandeln Sie folgende Äußerungen in indirekte Bemerkungen:

„Du kannst nicht kochen!"

_____

_____

„Du kannst nicht logisch denken!"

_____

_____

„Deine Argumentation ist schwach!"

_____

_____

Übung:

Geben Sie indirekt Kontra:

„Wenn Dummheit weh täte, würden Sie schreien!"

_____

_____

„Blöder als Sie kann man sich doch kaum anstellen!"

_____

_____

10. Wie kontern Sie gekonnt?

„Gibt's das Sakko auch in Ihrer Größe?"

_____

_____

Lösungsvorschläge finden Sie auf Seite 122.

14. Geben Sie vergleichend Kontra!

Kontern mit „besser als" Eine Bekannte erzählte mir, dass sie mit ihrem Mann spazieren gegangen ist. Sie hatte Freude an Flora und Fauna und hielt öfter an, um sich zu Blumen herunterzubeugen. Irgendwann reizte den Gatten dieses Innehalten zu folgender Bemerkung: „Du bist auch mit jeder Blume per du." Ohne lange nachzudenken, fiel ihr ganz spontan folgende Antwort ein: „Besser mit den Blumen per du als gar keine Unterhaltung!" Ihr Mann war platt.

Diese Antwort folgt einem einfachen wie genialen Mechanismus:
1. den Anwurf aufgreifen,
2. das Wörtchen „besser" davor setzen,
3. im Hirn nach einer „Als-Idee" kramen, welche zu der Situation oder dem Gesprächspartner passt.

Beispiele:
Angriff: „Sie sind ganz schön dick geworden."
Antwort: „Besser dick als doof!"
Angriff: „Sie haben keine Ahnung!"
Antwort: „Besser ahnungslos als ziellos!"
Angriff: „Sie sind einfallslos!"
Antwort: „Besser einfallslos als gefühllos!"

Übung:
Geben Sie vergleichend Kontra:
„Sie sind gefühllos!"

_____

_____

„Sie sind aggressiv!"

_____

_____

„Sie sind geschmacklos!"

_____

_____

Lösungsvorschläge finden Sie auf Seite 123.

15. Kontern Sie mit Gegenfragen!

Antworten provozieren

Stellen Sie eine Frage und Sie erhalten eine Antwort. Probieren Sie es bei x-beliebigen Gelegenheiten aus: Wir Menschen unterliegen einem Antwortreflex. Das Schulsystem ist ein Frage- und Antwort-System und da bekommen wir diesen späteren Reflex eingebläut. An jungen, unerfahrenen Politikern können Sie noch deutlich erkennen, dass sie die Kunst, auf eine Frage keine Antwort zu geben, noch nicht beherrschen. Erinnern Sie sich, als Frau Nolte neu im Amt als Familienministerin war, wurde sie gefragt, ob die (Kohl-)Regierung die Absicht habe, die Mehrwertsteuer zu erhöhen. Sie gab ehrlich Auskunft und beantwortete die Frage mit „Ja". Um kurz darauf heftigst zu dementieren, was niemand mehr glaubte. Es gab (fast) eine Regierungskrise. Und kurze Zeit später wurde die Mehrwertsteuer tatsächlich erhöht. Gewitzte Politiker beantworten Fragen mit irgendeinem Text, der ihnen gerade in den Sinn kommt, unabhängig davon, ob er auf die Frage passt oder nicht. Wenden Sie die Gegenfrage-Methode bei Ihrem potenziellen Angreifer an, denn auch er wird dem Reflex unterliegen und brav antworten. Das bewahrt Sie davor, auf eine unziemliche Frage eine gereizte oder unsouveräne Antwort zu geben.

Beispiele:
Frage: „Wie viel Kilo wiegen Sie denn um Gottes Willen?"
Gegenfrage: „Was hängt für Sie davon ab?"
Frage: „Was tun Sie da?"
Gegenfrage: „Was vermuten Sie?"
Frage: „Sind Sie nicht ganz bei Trost"?
Gegenfrage: „Wie müsste ich denn sein, um bei Trost zu sein?"

W-Fragen Meistens sind es die berühmten W-Fragen, die den Antwortreflex auslösen: „wann", „wie", „wo", „was", „wer" usw. Wenn ein Angriff in Frageform kommt, formulieren Sie schon einmal ein „Was" oder ein „Wie", dann ist die Wahrscheinlichkeit sehr groß, dass Ihnen der Rest des Satzes auch einfällt. Und: Sie haben es wieder einmal geschafft, sich von dem Inhalt zu lösen und damit aus der Verpflichtung, brav zu antworten.

Übung:

Kontern Sie mit Gegenfragen:
„Kapieren Sie selbst, was Sie da sagen?"

_____

_____

„Sie halten sich wohl für ziemlich wichtig?"

_____

_____

„Haben Sie eigentlich Abitur?"

_____

_____

Lösungsvorschläge finden Sie auf Seite 123.

16. Kontern Sie mit „Stimmt genau"!

Stehen Sie zu dem, was Ihnen Ihr Gegner vorwirft. Das wird er nicht erwarten. Sobald Sie sich verteidigen, haben Sie das Spiel verloren. Sie sind nur angreifbar, wenn Sie die Wertvorstellung (gut oder schlecht) des Gegners akzeptieren. Sie sind nur angreifbar, wenn Sie akzeptieren, dass es schlimm ist, zum Beispiel klein und knubbelig zu sein. Wenn Sie zu sich und Ihren eigenen Werten stehen, sind Sie sehr viel weniger angreifbar. Bitte befreien Sie sich aus der „Werteschleife".

Es darf Sie nicht tangieren, wenn es andere stört, dass Sie zum Beispiel dick sind, mager sind, blond sind, gerne FKK machen oder leidenschaftlich gerne Volksmusik hören. Bitte machen Sie sich nicht zum „Deppen" anderer Menschen und tanzen nach deren Pfeife. Sie wissen:

Zu sich selbst stehen

87

> „Everybody's Darling is everybody's Depp."

Wenn Sie noch nicht wirklich überzeugt sind, dann tun Sie wenigstens so. Lassen Sie sich nicht hinter die Kulissen gucken. Wenn eine gezielte Beleidigung kommt, antworten Sie einfach: „Stimmt genau!"

Beispiel:
Angriff: „Sie sehen aus, als ob Sie in einem Heuschober geschlafen hätten."
Antwort: „Stimmt genau!"

Übung:

Kontern Sie mit „Stimmt genau":
„Das ist totaler Schwachsinn!"

_____

_____

„Auch davon verstehen Sie nichts."

_____

_____

„Sie sind eine Transuse!"

_____

_____

Lösungsvorschläge finden Sie auf Seite 123.

11. Wie gehen Sie mit unfairer Dialektik um?

Faire Dialektik ist im Gegensatz zur „Kampfdialektik" die Kunst, andere zu überzeugen und nicht zu besiegen. Dazu müssen Sie andere wertschätzen, zuhören können und verstehen wollen, was der andere sagt. Ein Sympathiefeld schaffen, andere ausreden lassen, andere nicht emotional einengen, persönliche Bedürfnisse wie Prestige und Macht zurückstellen. Wichtig ist, dass alle Beteiligten aufeinander zugehen. So entsteht ein Gleichgewicht in der Gesprächsführung. Ziel ist es, zu einem gemeinsamen Erkenntnisfortschritt zu gelangen, und nicht, den Gegner verbal zu erniedrigen.

Faire Dialektik

Der gemeinsame Erkenntnisfortschritt kann zum Beispiel darin liegen, sich darauf zu einigen, dass Squash und Tennis mit einem Schläger zu spielende Spiele sind, die beide in der Halle gespielt werden können. Kein Erkenntnisfortschritt wäre, sich darüber die Köpfe einzuschlagen, welche dieser beiden Sportarten besser, schöner, schneller, intelligenter oder sinnvoller ist.

Leider ist es bei Verhandlungen sehr oft der Fall, dass beide Parteien jeweils ihre favorisierte Meinung verteidigen und die gegnerische Meinung schlecht machen. Tennis wird von der Tennispartei in den Himmel gelobt und Squash verteufelt. Die Gegenseite macht dasselbe.

Wenn allerdings beide Parteien daran interessiert sind, eine tragfähige Lösung zu erreichen und wenn die Sache im Vordergrund steht (ohne dass das Menschliche außer Acht gelassen wird), dann können Sie in einer Diskussion gut und leicht auf faire Weise bestehen.

Wenn nur der Sieg zählt Das ist nicht immer der Fall. Oft zählt nur der Sieg. Sie merken es daran, dass die Gegenpartei unter allen Umständen und mit allen Mitteln Recht haben möchte. Zu diesem Behufe wird unfaire Dialektik eingesetzt. Hier wird gehauen, gestochen, gekränkt, persönlich angegriffen, was das Zeug hält. Behauptungen werden aufgestellt, die nicht stimmen, aber schlüssig wirken. Kurz, es werden alle Methoden der Kampfdialektik verwendet und das bedeutet, mit allen Mitteln die eigene Meinung durchzusetzen.

> Menschen, die unfaire Dialektik anwenden, stellen jede Schwachstelle des anderen sofort heraus, machen ihn lächerlich, provozieren ihn, stellen ihn bloß, ziehen die Mehrheit hinter sich, um einen Einzelnen zu isolieren usw. Im Vordergrund steht der Sieg um jeden Preis.

Hier ein Beispiel aus meiner eigenen Erfahrung:
Ich saß in einer Runde mit Trainingskollegen, um von einem berühmten Industrieboss ein paar Erfolgsgeheimnisse zu erfahren. Er wollte aus seinem „Nähkästchen" plaudern. Durch eine Bemerkung zerstörte ich, ohne es zunächst zu merken, das Sympathiefeld zwischen mir und dem Industriemagnaten nachhaltig. Dabei war meine Bemerkung in bester Absicht erfolgt und unterstützte aus meiner Sicht sogar das von ihm Gesagte. Völlig arglos nannte ich später in der Vorstellungsrunde meinen Namen. Dies löste schiere Fassungslosigkeit bei dem Nähkästchen-

plauderer aus. Seine Mimik war Gold wert. Er blickte mich an, sah dann auf die Teilnehmerliste und stotterte: „Sie?, Nein, Siiee?! Und dabei hat sie so einen netten Vater!" (Mein Vater war ihm offensichtlich persönlich bekannt.)*

Nun war es für den Industriellen anscheinend wichtig, die Teilnehmer auf seine Seite zu ziehen. Dies gelang ihm mit der Bemerkung: „Und so was will eine gute Trainerin sein! Nehmen Sie sich ein Beispiel, wie Sie auf keinen Fall werden dürfen." Die Gruppe war offenbar froh, einen wertvollen Tipp erhalten zu haben und die Stimmung war von nun an gegen mich, denn mit „Losern" solidarisiert man sich nicht. Der dialektische Trick, mich zu isolieren, war ihm gelungen. An einer anderen Stelle kam er mit der Behauptung, dass ich als Autorin des Buches „Rhetorik für Frauen" seitenweise bei einem anderen Autor abgekupfert hätte, also unfähig sei, eigene Gedanken zu entwickeln. Daraus wiederum leitete er den Schluss ab, dass jede Art von Frauenrhetorik unsinnig sei und ich als Trainerin von Frauenrhetorik ...

Sein dialektischer Trick: Nehme etwas, was in der allgemeinen Stimmung weder positiv noch negativ besetzt ist, belege es negativ und werfe flugs denjenigen, der es vertritt, als Unperson mit in diesen negativen Topf (in diesem Fall: Frauenrhetorik ist überflüssig). Auf diese Art hebt man den Angriff gegen eine Person formal auf eine sachliche Ebene. Bei einem direkten persönlichen Angriff ist die Gefahr hingegen groß, dass sich einige der Anwesenden mit dem Angegriffenen solidarisieren. Ich hatte nicht viele Sympathisanten in der Gruppe und stand sehr isoliert da. Dem Wirtschaftsboss waren seine dialektischen Tricks gut gelungen.

Dialektischer Trick: Unliebsames verallgemeinern

Spätestens seit diesem Erlebnis kann ich gut nachvollziehen, wie wichtig es ist, mit unfairen Dialektikern richtig umzugehen. Mit solchen Menschen müssen Sie leider im beruflichen wie im privaten Alltag stets rechnen. Deshalb lassen Sie mich hier auf einige unfaire dialektische Tricks und Taktiken aufmerksam machen. Nicht, um sie anzuwenden, sondern primär, um sie zu erkennen. Nach dem Motto: Gefahr erkannt – Gefahr gebannt. Diese Abwehrstrategien sind lediglich Tipps und keine Rezepte. Sie sollen verhindern, dass Sie überraschend damit konfrontiert werden und nicht angemessen damit umgehen können.

Unfaire dialektische Tricks und Taktiken

1. Angriff: Man attackiert Ihren Lebenswandel
Beispiel: *„Sie sollten erst einmal Ihr Verhältnis zu Ihrer Sekretärin legalisieren, bevor Sie sich hier zu sozialer Verantwortung äußern."*

Abwehr: Fragen Sie nach: *„Ich habe Sie nicht verstanden."* Oder: *„Was hat meine Sekretärin mit der Sache zu tun?"*

Der Trick ist, den Angreifer seine Attacke so lange wiederholen zu lassen, bis sie lächerlich wirkt. Bleiben Sie betont höflich und verteidigen Sie sich nicht.

2. Angriff: Man bestreitet Ihre Fachkompetenz
Man wirft Ihnen mangelnde Sachkunde oder zu wenig Erfahrung vor, hält Sie für zu jung oder zu alt.

Beispiele: *„Das können Sie doch noch gar nicht beurteilen."* Oder: *„Das können Sie doch gar nicht mehr beurteilen."*

Nicht rechtfertigen Abwehr: Versuchen Sie unter keinen Umständen, die eigene Kompetenz zu beweisen! Rechtfertigungen wie:

92

„Ich habe das schließlich studiert" oder „ich habe da die längste Erfahrung" sind wirkungslos. Gehen Sie in die Gegenwehr (Angriff ist in diesem Fall die beste Verteidigung): „Durch das, was Sie bislang gesagt haben, zeigen Sie Ihre Unfähigkeit, sachlich zu bleiben." Oder: „Über meine Kompetenz steht Ihnen kein Urteil zu, lassen Sie das lieber das Publikum entscheiden." Oder weniger krass: „Mir geht es um Argumente und nicht darum, wer die besseren Zertifikate hat."

3. Angriff: Man greift zu Emotionalisierung, persönlichen Angriffen und Beleidigungen

Der Angreifer operiert mit Killerphrasen, um Sie zu emotionalisieren und damit zu unkontrollierten Äußerungen zu provozieren. Damit will er den Anwesenden beweisen, wie wenig Sie sich unter Kontrolle haben. Das soll Ihre Glaubwürdigkeit herabsetzen.

Sich nicht provozieren lassen

Beispiele: *„Völliger Unsinn, Ihr Vorschlag!" Oder: „Können Sie das in Ihrer Position überhaupt beurteilen?" Oder: „Das mag ja bei Ihnen gehen, bei uns ist das ganz anders."*

Abwehr: Spüren Sie die Absicht auf. Atmen Sie tief durch und bleiben Sie ruhig (auch wenn es gespielt ist)! Überlegen Sie kurz, ob Sie kontern müssen. Wenn Sie wie eine „Witzfigur" wirken, mit der man alles machen kann, dann könnte das die Stimmung gegen Sie richten. Das dürfen Sie nicht so stehen lassen. Dann müssen Sie reagieren. Und wenn Sie nur mit der kürzesten Antwort der Welt antworten und zum Beispiel ein schlichtes „So, so" äußern. Das würde reichen, um zu zeigen, dass Sie die Lage im Griff haben – nämlich ruhig und nicht aggressiv reagieren und sich nicht aus der Reserve locken lassen. Wenn Sie meinen, doch länger auf den Angriff eingehen zu müssen, dann immer etwas über dem Niveau des

Sachlich bleiben

93

Angreifers – nie unter der Gürtellinie. Die Gefahr bei einer Retourkutsche ist die, dass dann wiederum ein Gegenangriff erfolgt und sich die Stimmung immer mehr aufschaukelt. Sollten Sie keine Lust zu solchen Spielchen haben, dann antworten Sie gelassen: „Bitte lassen Sie uns wieder zur Sache kommen, Ihre Zeit ist genauso knapp wie meine."

4. Angriff: Sie werden in eine unliebsame Ecke gerückt

Man macht Sie zum Beispiel zum „Kommunisten", „Nazi", „Faschisten", „Atheisten" „Bullen" usw. Diese Taktik soll Sie in einen Dunstkreis ziehen, der klar von der Allgemeinheit (und den Anwesenden) abgelehnt wird.

Sich nicht verteidigen

Abwehr: Bitte verteidigen Sie sich auf keinen Fall! Sie geben der ablehnenden Stimmung, in deren Nähe Sie geschoben werden sollen, immer mehr Gewicht. Weisen Sie kurz darauf hin, dass Etikettierungen immer von geistiger Trägheit zeugen und ein Armutszeugnis für den Etikettierenden darstellen, da sie seine Ahnungslosigkeit über die Position (in deren Nähe man Sie gerückt hat) beweisen. Dann kehren Sie zum Sachthema zurück.

5. Angriff: Man greift Irrtümer Ihrerseits auf

Zum Beispiel bei falsch benutzten Fremdwörtern hören Sie mit leicht abfälligem Unterton: „Das muss doch wohl heißen ..." Hier wird das Motto bedient: Wenn der Sprecher schon bei so einfachen Begriffen scheitert, dann wird der Rest auch entsprechend sein. Man will die eigene Überlegenheit beweisen und damit Ihre „Dummheit" an den Pranger stellen, um Sie zu verunsichern.

Irrtümer zugeben

Abwehr: Geben Sie schlicht den Irrtum zu. Frechere Variante: „Ich habe versucht, mich auf Ihr Verständigungsniveau einzustellen."

6. Angriff: Persönliche Meinungen werden als fundierte Tatsachen hingestellt

Um von schwachen Argumenten abzulenken, kommt zuerst ein langer, aufgebauschter Einführungssatz, der die eigene Ansicht als selbstverständlich darstellt. Sie können zu einem hohen Prozentsatz davon ausgehen, dass nach dem dürren Argument nicht mehr viel folgt.

Beispiele: *„Es bedarf doch wohl keiner weiteren Diskussion mehr ...“* Oder: *„Der Fall liegt doch ganz klar ...“* Oder: *„Es besteht doch kein Zweifel, dass ...“* Oder: *„Wir können mit Sicherheit davon ausgehen ...“*

Abwehr: Wer etwas behauptet, ist immer beweispflichtig! Also fragen Sie zurück: „Auf welche Informationsquelle stützen Sie sich?" „Bitte würden Sie Ihren Standpunkt begründen?" Sie werden schnell merken, dass der Gegner an Boden verliert, und diese Blamage vor Publikum tut weh. Er ist das Risiko eingegangen in der Hoffnung, dass Sie nicht merken, auf welch dünnem Eis er sich befindet.

Behauptungen hinterfragen

7. Angriff: Tatsachen und beweisbare Untersuchungen werden abgestritten

Auch hier will Ihr Gegner versuchen, Ihre Glaubwürdigkeit in Zweifel zu ziehen und Sie zu unbedachten Äußerungen zu verleiten.

Beispiele: *„Was Sie da sagen, stimmt überhaupt nicht...“* Oder: *„Da sind Sie falsch informiert.“*

Abwehr: Sie durchschauen natürlich seine Absicht und reagieren mit Bedacht. Da Sie sich blendend vorbereitet haben, können Sie in aller Ruhe Ihre stichhaltigen Argumente wiederholen. Sie bestechen mit Gelassenheit.

Sachlich argumentieren

8. Angriff: Ihr Gegner übertreibt

Beispiel: *„So, so, Sie wollen die Eier legende Wollmilchsau, ha, ha.“*

Diese Taktik wird gerne verwendet, um Sie lächerlich zu machen. Um herauszustellen, wie undifferenziert Sie urteilen.

Übertreibungen klarstellen

Abwehr: Kehren Sie zurück zum differenzierten Nutzen für das Unternehmen oder die Anwesenden und decken Sie die Taktik des Übertreibens auf. Nennen Sie sie beim Namen: „Sie verwenden gerade die kampfdialektische Taktik des Übertreibens, zurück zum Thema ...“

9. Angriff: Einzelfälle werden verallgemeinert

Beispiel: *Sie haben gerade eine neue Software vorgestellt, die vieles vereinfachen würde. Ein ausgesprochener Computerfeind (ein schon etwas älteres Semester) lehnt die Idee rundweg ab. Er begründet dies mit dem Argument: „Das Unternehmen X hat ausgesprochen schlechte Erfahrungen mit diesem Programm gemacht, damit dürfte doch klar sein, dass es nichts taugt.“ Die meisten (älteren Semester) nicken beifällig, und schon glaubt Ihr Gegner gesiegt zu haben.*

Verallgemeinerungen zurückweisen

Abwehr: Weisen Sie auf den Denkfehler hin – hier hilft wieder einmal der deutsche Volksmund mit zum Beispiel: „Eine Schwalbe macht noch keinen Sommer.“ Wenn Ihnen kein Sprichwort einfällt oder Sie keine Lust haben, heiter zu wirken, dann sagen Sie einfach: „Das ist ein Einzelbeispiel und kein Beweis.“ Dann kommen Sie wieder auf Ihr Argument zurück.

10. Angriff: Sie werden mit der eigenen Meinungsänderung konfrontiert

Sie mit Ihrer vermeintlichen Wankelmütigkeit zu konfrontieren ist ein gefundenes Fressen für Ihre Gesprächsgegner: „Ach, wie kommt es denn plötzlich zu diesem Sinneswandel?"

Abwehr: Sie verteidigen sich nicht. Sie bleiben – wie gehabt – gelassen. Nun können Sie Ihren gesamten Zitatenschatz aktivieren. Beispielsweise Konrad Adenauer: „Was jeht mich mein dummes Jeschwätz von jestern an." Oder Sie antworten schlicht und ernst mit dem Hinweis auf die eigene Lernfähigkeit. Sie weisen darauf hin, dass neue Aspekte hinzukamen, dass Sie neue Erkenntnisse gewonnen haben.

11. Angriff: Ihr Kontrahent bedient sich der Ja-aber-Taktik

Vermutlich können Sie schon am Anfang eines Satzes heraushören, ob er ein „Aber" enthält oder nicht.

Beispiele: *„Ich finde Ihre Idee grundsätzlich einleuchtend, aber in diesem speziellen Falle sollte man doch ..."* Oder: *„Ja, ja, das ist ja ganz nett, was Sie da erzählen, aber wir sollten jetzt doch wieder ernsthaft diskutieren."*

Abwehr: Machen Sie den Kontrahenten freundlich, aber bestimmt darauf aufmerksam, dass er sich zweideutig verhält und dies nicht dazu geeignet ist, eine Diskussion ernsthaft zu Ende zu führen. Etwa: „Sie sprechen in Rätseln. In Ihrem ersten Halbsatz sind Sie nicht abgeneigt und in der zweiten Satzhälfte finden Sie den Beitrag nicht ernsthaft genug. Was ist denn nun Ihre Meinung?"

Den anderen zur Klarheit nötigen

12. Angriff: Ihr Gegner versucht durch Statussymbole und langjährige Erfahrung zu beeindrucken

Beispiel: *„Sie können mir ruhig glauben, denn ich bin schon jahrelang auf diesem Sektor tätig."*

Wenn dieser oder ein ähnlicher Satz fällt, können Sie davon ausgehen, dass jemand mit Anerkennungsdefiziten kämpft. Und dieser Jemand wird, solange er nicht erkennbar gelobt und anerkannt wurde, keine Ruhe geben. Immer wieder wird er darauf aufmerksam machen, was das Unternehmen ihm zu verdanken hat ... Das kann in einer Verhandlung ziemlich lästig werden.

Dem Gegenüber Anerkennung zollen

Abwehr: Erkennen Sie an, erkennen Sie an, erkennen Sie an. Ihnen fällt kein Stein aus der Krone und Ihr Gesprächspartner freut sich, wenn er hört: „Schön, dass Sie in Krisensituationen immer die Nerven behalten." Oder: „Schön, dass Sie im entscheidenden Moment den Überblick bewahrt haben ..."

12. Wie gehen Sie als Frau mit männlichen „Angriffen" um?

Dieses Kapitel ist ausschließlich für die Damenwelt gedacht und geschrieben. Sollten sich ein paar neugierige Männerblicke hierher verirren, dann wissen die Herren der Schöpfung, dass und wie ihnen hinter die Kulissen geschaut wird. Es gibt eine Art Kampfdialektik, welche nur von Männern ausschließlich gegenüber Frauen eingesetzt wird. Diese Taktiken sind nicht offensichtlich. Sie könnten als Höflichkeit gewertet werden. Sie verstecken sich hinter kleinen, harmlos erscheinenden Sätzen oder Handlungen.

Dialektische Tricks oft versteckt

Ich bin mir bewusst, dass dieses heikle Thema ein heißes Eisen ist, denn nicht jeder freundliche Mann ist ein potenzieller Angreifer. Es besteht die Gefahr, dass Sie zukünftig misstrauisch auf den nettesten männlichen Kollegen reagieren, der es wirklich ehrlich meint, der freundlich und hilfsbereit ist. Er wird plötzlich in den gleichen Topf mit denjenigen geworfen, die es darauf abgesehen haben, Sie an den Rand zu drängen. Trotzdem: Hier finden Sie zehn Strategien, die Männer hin und wieder benutzen. Betrachten Sie die Strategien als kleinen Orientierungsleitfaden.

1. Strategie: Flirten

Sie erhalten plötzlich Komplimente für Ihre Kleidung, für die wunderbare Frisur. Man blickt Ihnen tief und lang in die Augen. Sie werden vornehmlich auf Ihre „Weiblichkeit" (Schönheit) angesprochen anstatt auf Ihre guten und sachlichen Argumente.

Ziel: Sie sollen in die Rolle des „begehrten Weibchens" gedrängt werden, um Ihnen dadurch Ihre Fachkompetenz abzusprechen oder diese ganz zu ignorieren. Weiter soll das überraschende Flirten Sie verlegen machen, Sie zum Schmelzen bringen, Sie so überraschen, dass Sie vom Thema abgelenkt sind. Vielleicht genieren Sie sich auch vor den anderen oder Sie sind stolz, endlich auch als weibliches Wesen wahrgenommen zu werden. Oder Sie fangen an zu rätseln: „Was ist denn heute mit dem Herrn Knurr los, er hat mich doch sonst nie beachtet? Im Gegenteil, er wirkte sonst eher muffig und gleichgültig. Vielleicht habe ich ihm ja die ganze Zeit Unrecht getan und er ist in Wirklichkeit ganz anders ..." Während Sie all diesen Gedanken nachhängen oder in Gefühlen schwelgen, läuft die Verhandlung ohne Sie weiter. Sehr subtil, oder?

Die besonderen Merkmale:
- Sie erhalten Komplimente für Kleidung und Frisur von jemandem, der Sie sonst nie beachtet hat.
- Man blickt Ihnen tief in die Augen.
- Es wird auffallend viel über Ihr Aussehen, Ihre Schönheit und Ihre Weiblichkeit gesprochen.

Übung:
Wie reagieren Sie auf die Flirttaktik?

Verhaltensvorschläge finden Sie auf Seite 124.

2. Strategie: Diminutive (Verkleinerungen)

Sie hören mit großem Erstaunen, dass Ihnen in einer wichtigen Verhandlung Kosenamen wie „Schätzchen", „Herzi", „Mädel", „Süße" usw. verliehen werden: „Ich begrüße Sie, Herr Knott, Herr Knitt, Herr Knatt, und natürlich auch Sie, meine Liebe." Oder Sie werden (im Gegensatz zu den anwesenden Herren) lediglich mit dem Vornamen statt mit Nachnamen oder Titel angeredet: „Bitte, liebe Magda, könnten Sie mir den Ordner reichen? Sehr freundlich, meine Liebe."

Ziel: Sie sollen namenlos gemacht werden (damit Sie sozusagen „verschwinden"), im Rang erniedrigt oder in die Rolle des „kleinen Mädchens" gedrängt werden. Damit sind Sie als Fachkollegin nicht ernst zu nehmen, werden nicht akzeptiert.

Die besonderen Merkmale:
- Sie werden mit „Kosenamen" angeredet wie „Schätzchen", „Herzchen", „Mädel", „meine Liebe", „Süße".
- Sie werden nur mit Ihrem Vornamen angeredet, während alle anderen mit Nachnamen und Titel angesprochen werden.

Übung:
Wie reagieren Sie auf Diminutive?

_____

_____

Verhaltensvorschläge finden Sie auf Seite 124.

3. Strategie: Übertriebene Galanterie

Kavalier heißt nicht immer Kavalier

Schon an der Tür stürzt Ihr „Lieblingskollege" auf Sie zu, um Ihnen den für Sie doch viel zu schweren Aktenkoffer abzunehmen. Ein anderer bringt sich fast um, damit er Sie zu Ihrem Platz begleiten kann, er rückt Ihnen den Stuhl zurecht und hilft Ihnen dann auch noch, sich zu setzen. Sie fühlen sich so, als ob Sie plötzlich kurz vorm Koma stünden und es nur mithilfe der Kollegen überhaupt noch bis zum Platz schafften. Es kann auch sein, dass Sie eine ganz allgemeine übertriebene Hilfeleistung erleben, die Sie so nicht kennen, die sie nicht brauchen und die Ihnen unangenehm ist.

Ziel: Ihre Kompetenz soll hinter Hilflosigkeit verschwinden. Weil sie offenbar den Anschein von Hilfsbedürftigkeit erwecken, bekommen Sie Unterstützung von Mannes Seite, die Sie offensichtlich dringend brauchen.

Die besonderen Merkmale:

- Sie fühlen sich so behandelt, als ob Sie kurz vorm Siechtum stünden.
- Sie spüren, dass Sie die Hilfestellung in eine bedürftige Ecke drängt.
- Sie merken, dass demonstriert wird: „Sie kommt ohne Hilfe nicht aus – nehmt sie nicht ganz für voll."

Übung:
Wie reagieren Sie auf übertriebene Galanterie?

Verhaltensvorschläge finden Sie auf Seite 124.

4. Strategie: Klischees benutzen
Ihr Kollege hat in einer Konferenz Ihre Idee als die seine vorgetragen, leider aber falsche Schlüsse gezogen. Sie standen nun ohne Konzept da und fühlten sich entsetzlich blamiert. Das Projekt drohte zu kippen. Als Sie ihn nach der Konferenz wütend zur Rede stellten, hörten Sie im Hinausgehen, noch ehe die Tür sich hinter Ihnen geschlossen hatte, wie er zu Ihrem Chef sagte: „Die darf man heute nicht ganz ernst nehmen, die hat ihre Tage."

Ziel: Sie sollen in eine entsprechende „Schublade" gedrängt werden, egal, ob Ihnen die Rolle passt oder nicht. Klischees sind sehr energiesparend für das Gehirn des Angreifers. Sie liegen überall herum und jedermann kann sich jederzeit bedienen. Kein Betrachter braucht sich mehr die Mühe zu machen herauszufinden, wen er wirklich vor sich hat.

Beispiel: *„Dass Frauen immer so emotional reagieren müssen, typisch."*

Die besonderen Merkmale:
Klischees werden benutzt, wie zum Beispiel:
- Blondinen sind dumm.
- Rothaarige sind feurig/temperamentvoll.
- Frauen sind schlecht gelaunt, wenn sie ihre Tage haben.
- Frauen sind zu emotional/zu wenig rational/können nicht logisch denken.

103

Übung:
Wie reagieren Sie auf Klischees?

_____

_____

Verhaltensvorschläge finden Sie auf Seite 124.

5. Strategie: Niedrige Dienste
Sie sitzen als ganz „normale" Verhandlungspartnerin in einer Besprechung und sind die einzige Frau. Plötzlich werden Sie (vom einzigen Ranghöheren) gebeten, Kaffee zu besorgen. (Das Gleiche gilt für Mittagessen bestellen oder Tickets reservieren usw.). Sie wissen, wenn Sie jetzt den Raum verlassen, um der Bitte nachzukommen, können Sie Ihre Ideen nicht präsentieren und damit würde Ihre wichtige Arbeit völlig von der Tagesordnung verschwinden. Die Zwickmühle ist, wenn Sie sich weigern, Kaffee zu holen, kann das auf die anderen (männlichen) Konferenzteilnehmer eher „zickig" wirken. Diese rollen mit den Augen, werfen sich viel sagende Blicke zu, und schon haben Sie mehr an Status verloren, als wenn Sie Kaffee geholt hätten.

Rollenklischees Auch hier wird ein Klischee bedient, nämlich: Frauen haben sich um die Versorgung zu kümmern, Männer um die Geschäfte.

Ziel: Machtdemonstration: Der Mann hat das Sagen – die Frau ist Bedienstete und spurt.

Die besonderen Merkmale:
- Sie werden gebeten, Kaffee zu holen (damit Sie den Raum verlassen müssen).
- Sie werden gebeten, Kaffee zu holen, um der Allgemeinheit zu zeigen, dass Männer verhandeln und Frauen „dienen".

◼ Sie werden gebeten, Kaffee zu holen, damit Sie einen emanzipatorischen Anfall bekommen und dadurch Ihren Status verringern, sich vielleicht sogar in den Augen der Männer lächerlich machen.

Übung:

Wie reagieren Sie auf die Aufforderung zu niedrigen Diensten?

Verhaltensvorschläge finden Sie auf Seite 125.

6. Strategie: Herablassende Bemerkungen

Diese Taktik zeigt nur Wirkung, wenn sie vor Publikum angewendet wird. Da sich Männer in Konferenzen oder in Verhandlungen wie auf einem Spielfeld fühlen, werden sie sich auch so verhalten. Da können plötzlich Kollegen zu Gegnern werden, obwohl sie sich sonst gut verstehen. Hier geht es um „Satz – Spiel – Sieg".

Männer wollen siegen

Ziel: Sie sollen aus dem Konzept gebracht werden, indem Sie sich verteidigen.

Die besonderen Merkmale:
Sätze wie:
◼ „Solche Zusammenhänge verstehen Sie nicht."
◼ „Nicht schlecht für eine Frau."
◼ „Wie kommen gerade *Sie* zu dieser Konferenz?"
◼ „Das können Sie als Frau doch gar nicht beurteilen."

Übung:
Wie reagieren Sie auf herablassende Bemerkungen?

_____

_____

Verhaltensvorschläge finden Sie auf Seite 125.

7. Strategie: Derber Humor

Schlüpfrige Witze Männer mögen schlüpfrige Witze wie: „Kennst du den schon? Kommt eine Frau zum Frauenarzt ..." Schon schütten sich alle aus vor Lachen, obwohl der eigentliche Witz noch gar nicht bekannt ist. Oder Sie müssen anzügliche Bemerkungen bei dem Blick auf Ihren Pullover über sich ergehen lassen wie: „Heute haben Ihre Höcker aber eine schöne Farbe", und dann wird genüsslich geschaut, wie Sie sich vor Verlegenheit winden. Vielleicht werden Sie auch rot. Damit wäre das Ziel mehr als erreicht.

Ziel Nr. 1: Man will Sie bloßstellen, lächerlich machen, Sie als kompetente Gesprächspartnerin aus dem Weg schaffen. _Ziel Nr. 2:_ Gar keines! Es kann nämlich sein, dass diese Sprüche gedankenlos geäußert wurden und nicht gegen Sie gerichtet waren. Dass sich Männer einfach wie Männer benommen haben (sie schätzen eher derbe Sprüche), ohne daran zu denken, dass eine Frau anwesend ist. Da könnte der Hintergrund sogar sein, dass Sie als „gleichwertig" betrachtet werden.

Die besonderen Merkmale:
- ■ Die Kollegen reißen Witze, die ausschließlich von Frauen handeln oder frauenspezifische Themen beschreiben.
- ■ Die Kollegen machen anzügliche Bemerkungen in Bezug auf Ihr Aussehen und Ihre Kleidung.

Übung:
Wie reagieren Sie auf derben Humor?

Verhaltensvorschläge finden Sie auf Seite 125.

8. Strategie: Unsachliche persönliche Fragen

Sie sind in einer Besprechung mit einem Kunden und es entsteht (vermeintlich) ein kleiner Smalltalk. Sie wissen, dass „Klima machen" eine wesentliche Voraussetzung dafür ist, zu einem Abschluss zu kommen. Deshalb lassen Sie sich auf ein paar nette, unverbindliche persönliche Fragen ein. Überraschend gipfelt der Smalltalk in folgenden Sätzen:

„Übrigens, wie alt sind Sie eigentlich?" „Sind Sie verheiratet?" „Wie lange sind Sie schon im Beruf?" „Was haben Sie für einen Abschluss" usw.

Ziel: Der andere will Sie von der Sache ablenken, indem er Sie in eine Ecke drängt, aus der Sie sehr schwer wieder herauskommen.

Die besonderen Merkmale:
Ein männlicher Geschäftspartner stellt Ihnen persönliche Fragen wie:
- „Sind Sie verheiratet?"
- „Wie lange machen Sie den Job hier überhaupt schon?"
- „Wie alt sind Sie eigentlich?"

12. Wie gehen Sie als Frau mit männlichen „Angriffen" um?

Übung:

Wie gehen Sie mit unsachlichen persönlichen Fragen um?

Verhaltensvorschläge finden Sie auf Seite 126.

9. Strategie: Weibliches Helfersyndrom ausnutzen

Appell an Ihre Hilfsbereitschaft

Diese Strategie ist eine ganz normale (männliche) Strategie. Weiterkommen hat immer etwas mit „Verdrängen" zu tun, denn selten kann eine Position mit zwei Personen besetzt werden. Da Frauen eher zum „Helfen" und „Unterstützen" erzogen wurden, können sich Männer diese weiblichen Anlagen zunutze machen. Seien Sie also auf der Hut. Wenn Sie ein Kollege ständig um Hilfe bittet und Sie arbeiten beide am gleichen Projekt, liegt der Verdacht nahe, dass er Ihr Wissen für seinen eigenen Vorteil nutzen will. Frauen können schlecht „Nein" sagen und haben oft ein kein eigenes Karrierekonzept.

Ziel: Der Kollege will Ihnen ein „schlechtes Gewissen" machen, wenn Sie es ablehnen, ihm zu helfen.

Die besonderen Merkmale:
- ▪ Sie werden häufig um Hilfe gebeten.
- ▪ Ein Kollege lässt sich von Ihnen unterstützen und kommt mit Ihren Ideen auf den Posten, den Sie angestrebt haben.

Übung:
Wie reagieren Sie auf Appelle an Ihre Hilfsbereit-schaft?

Verhaltensvorschläge finden Sie auf Seite 126.

10. Strategie: Wütend werden

Frauen neigen dazu, bei Gebrüll gerne zu beschwichtigen. Das wissen Männer. Wenn sie also etwas durchsetzen wollen, von dem sie nicht so sicher sind, ob es ihnen gelingt, dann fangen sie an zu schreien. Es ist nicht ganz einfach, bei Gebrüll Ruhe zu bewahren. Denken Sie daran, wie sich Kinder verhalten, wenn sie etwas wollen: Sie fangen an zu schreien. Geben die Eltern nach, werden die Kinder immer wieder dieselbe, gut funktionierende Strategie anwenden. Männer machen es ähnlich. Wenn Sie einmal nachgegeben haben, werden Sie Gebrüll immer öfter als Strategie erleben. Denn Ihr Kontrahent kann davon ausgehen, dass er damit einen Ihrer Schwachpunkte gefunden hat.

Nicht einschüch-tern lassen

Ziel: Man will Sie einschüchtern oder an Ihr Harmonie-bedürfnis appellieren.

Die besonderen Merkmale:
- Die männlichen Kollegen brüllen, schreien, werden zornig.
- Sie erleben Wutausbrüche bei Ihrem Gegenüber.

12. Wie gehen Sie als Frau mit männlichen „Angriffen" um?

Übung:
Wie reagieren Sie auf Wutausbrüche?

_____

_____

Verhaltensvorschläge finden Sie auf Seite 126.

100 Beleidigungen Um in den verschiedensten Situationen gekonnt zu kontern, müssen Sie üben, üben, üben … Deshalb finden Sie im Anschluss hundert Beleidigungen zum Trainieren. Zunächst folgt ein kleiner Test, mit dem Sie sich selbst noch besser kennen lernen können. Finden Sie heraus, welcher Ihrer Sinne besonders scharf ist. Dann haben Sie eine gute Grundlage, um sich selbst zu schützen und um besser kontern zu können.

13. Test: Welche Sinne bevorzugen Sie?

Bei jeder der nachfolgenden Aussagen ist die Zahl 3 für den Satz zu schreiben, der Sie am besten beschreibt, die 2 zu dem Satz, der Sie am nächstbesten beschreibt, die Zahl 1 zu dem Satz, der Sie am wenigsten beschreibt. Wir beschränken uns hier auf die drei Haupttypen visuell, auditiv und kinästhetisch. Der olfaktorische (Geruch) und der gustatorische (Geschmack) Typ kommen in Reinform selten vor. Diese überschneiden sich oft mit dem kinästhetischen Typus (vgl. Seite 61).

1. Ich fälle wichtige Entscheidungen danach:
■ *wie sich etwas anfühlt* _____ Punkte
■ *wie etwas am besten klingt* _____ Punkte
■ *was am besten aussieht* _____ Punkte

2. Während einer verbalen Auseinandersetzung bin ich am stärksten beeinflusst:
■ *vom Tonfall der anderen Person* _____ Punkte
■ *davon, ob ich den Standpunkt der anderen Person sehen kann* _____ Punkte
■ *davon, ob ich einen Zugang zu den wahren Gefühlen der anderen Person gefunden habe* _____ Punkte

3. Was mit mir los ist, kann ich am leichtesten aus-
drücken durch:
- *die Art, wie ich mich anziehe* _____ *Punkte*
- *die Gefühle, die ich mitteile* _____ *Punkte*
- *meinen Tonfall bzw. die Worte,*
  die ich wähle _____ *Punkte*

4. Für mich ist es leichter:
- *die ideale Lautstärke und Empfangsabstim-*
  mung beim Stereogerät zu finden _____ *Punkte*
- *außergewöhnlich komfortable*
  Möbel auszuwählen _____ *Punkte*
- *herrliche farbliche Ab-*
  stimmungen auszusuchen _____ *Punkte*

5.
- *Ich bin sehr eingestimmt auf die*
  Geräusche in meiner Umgebung _____ *Punkte*
- *Ich bin sehr empfindsam für die*
  Art, wie Kleidungsstücke sich auf
  meiner Haut anfühlen _____ *Punkte*
- *Ich reagiere sehr stark auf Farben und*
  die Art, wie ein Zimmer aussieht _____ *Punkte*

Auswertung

Schritt 1:

Übertragen Sie die Antworten/Zahlen aus dem Test auf
die nachfolgenden Linien.

1.___K	2.___A	3.___V	4.___A	5.___A
___A	___V	___K	___K	___K
___V	___K	___A	___V	___V

Schritt 2:

Tragen Sie die Zahlen ein, die in Schritt 1 zu jedem Buchstaben gehören. Es gibt fünf Eintragungen für jeden Buchstaben.

	V	A	K
1			
2			
3			
4			
5			
Summe			

Schritt 3:

Der Vergleich der jeweiligen Summen zeigt durch die Höhe der Zahl die Bevorzugung eines Sinneskanals an.

V = Visuell-optisch / „Augen-Typ" / sehen
A = Auditiv / „Gehör-Typ" / hören
K = kinästhetisch / „Gefühl-Typ" / körperlich spüren, emotional fühlen

14. Beleidigungen zum Üben

1. *Sie sind eine Transuse.*
2. *Das ist doch alles dummes Geschwätz.*
3. *Sie haben mal wieder gründlich versagt.*
4. *Ihre idiotische Meinung interessiert doch kein Schwein.*
5. *Wenn Dummheit weh täte, würden Sie schreien.*
6. *Blöder als Sie kann man sich kaum noch anstellen.*
7. *Sie wissen doch wieder einmal überhaupt nicht, um was es geht.*
8. *Auch davon verstehen Sie nichts.*
9. *Sind Sie blind oder können Sie nicht lesen?*
10. *Manche kriegen ihr Geld nur wegen ihrer schönen Beine.*
11. *Offensichtlich brauchen Sie Ihren Kopf nur zum Schminken.*
12. *Sie sehen aus, als ob Sie in einem Heuschober geschlafen hätten.*
13. *Na, wieder einmal keine Ahnung?*
14. *Sie machen Ihren blonden Haaren alle Ehre.*
15. *Können Sie das als Frau überhaupt beurteilen?*
16. *Ihre Faulheit ist sprichwörtlich.*
17. *Obwohl Sie braune Haare haben, benehmen Sie sich wie eine Blondine.*
18. *Haben Sie Tomaten auf den Augen?*
19. *Dein Kleid sieht aus, als ob es aus der Mülltonne käme.*
20. *Sie haben keine Ahnung.*
21. *Nennen Sie das Intelligenz?*
22. *Sobald Sie auftauchen, ist das Chaos perfekt.*

23. *Ihr Konzept ist altbacken und langweilig.*
24. *Ihr Vortrag war zum Einschlafen.*
25. *Ihre Reaktion ist wieder einmal typisch.*
26. *Sie sind doch nicht normal.*
27. *Das ist totaler Schwachsinn!*
28. *Sie bringen es nie zu etwas!*
29. *Sie sind absolut unfähig!*
30. *Sie plappern – wie immer – hohle Phrasen!*
31. *Sie Scherzkeks!*
32. *Sie haben wohl den Anschluss verpasst?*
33. *Kapieren Sie selbst, was Sie da sagen?*
34. *Sie sprechen wieder einmal in Rätseln.*
36. *Ein Tritt – und schon bewegen Sie sich!*
37. *Als Hirn verteilt wurde, haben Sie sich wohl als Letzter gemeldet?*
39. *Für die Zukunft ein zarter Hinweis: Das Hirn ist zur Benutzung da.*
41. *War das jetzt ein Strohfeuer – oder ist das ganze Hirn verbrannt?*
42. *Bevor Sie reagieren, gehen drei Generationen Faultiere zugrunde.*
43. *Ihr Einwand dürfte nach der EU-Gülleverordnung noch nicht einmal nachts ausgebracht werden.*
44. *Oh, Sie steigern sich ja: von Null auf Doppelnull.*
46. *Wenn Sie nur den Firmenparkplatz blockieren würden, wäre dies ja schon ein Erfolg.*
47. *Machen Sie das Fenster zu, sonst weht Ihnen Ihr Verstand weg.*
48. *Ihr Vortrag war einfach Klasse. Bei Ihrem letzten Satz habe ich mich überhaupt nicht gelangweilt.*
49. *Allein Ihre Existenz stellt schon eine Bedrohung dar.*
50. *Sie sind doch ein Homo-valium.*
51. *Sie reden wie eine Endlosschleife.*
52. *So abgedroschen wie Ihre Argumente ist ja noch nicht einmal leeres Stroh.*

53. *Sie halten sich wohl für so wichtig wie eine WC-Spülung?*

54. *Sie sind doch der lebende Beweis dafür, dass das duale System (Mülltrennung) noch nicht funktioniert.*

55. *Ihre Existenz ruiniert unser Unternehmen.*

56. *Sie als Leiterin der Keine-Ahnung-Abteilung …*

57. *Warum boykottieren Sie Ihren Frisör?*

58. *War das jetzt Ihre Meinung – oder haben Sie sich mit Ihrem Therapeuten ausgesprochen?*

59. *Ausgesprochen schick! – Wohl in der Altkleidersammlung fündig geworden?*

60. *Sie atmen doch nur auf Kredit.*

61. *Im Bereich keine Ahnung sind Sie Experte.*

62. *Ihr Durchblick gleicht einer schwarzen Scheibe.*

63. *Wenn Sie so stark wären, wie Sie nichts wissen, würde sich sogar Schwarzenegger fürchten.*

64. *Ah, Ihr Rasierwasser kenne ich, in Afrika tötet man damit Läuse.*

65. *Ihr Abitur haben Sie wohl beim ALDI gemacht?*

66. *Was Sie an heißer Luft produzieren, das reicht für sämtliche Wüstenwinde.*

67. *Sie arbeiten doch nur für den Papierkorb.*

68. *Denken ist Glücksache!*

69. *Sie sind intolerant.*

70. *Übersteigt das Ihre Fähigkeit, Kaffee zu kaufen?*

71. *Eine schöne Krawatte haben Sie da, aber die Farbe hätte ich nicht genommen.*

72. *Ihr Jackett gefällt mir gut, gibt es das auch in Ihrer Größe?*

73. *Wenn Sie anderer Meinung sind, weiß ich, dass ich Recht habe.*

74. *Hat jemand mit Ihrer Vergangenheit eigentlich noch Zukunft?*

75. *In der Jugend ist man halt noch naiv.*

76. *Bist du dick geworden oder liegt das an der Hose?*

77. *Mach den Kopf zu, es zieht!*
78. *Sie sind doch ein Trittbrettfahrer!*
79. *Du brauchst für alles erst mal einen Kurs!*
80. *Kannst du bitte schneller reden, ich kann nicht so langsam denken.*
81. *Wenn Du Dein Wissen den Russen preisgibst, wirft die das um 30 Jahre zurück!*
82. *Wenn Sie eine Fliege verschlucken würden, hätten Sie mehr Grips im Bauch als im Kopf!*
83. *Deine Strümpfe riechen.*
84. *Sie Einfaltspinsel!*
85. *Sie sind ja bescheuert!*
86. *Ihr Kopf gehört in einen Metzgerladen, Petersilie in die Ohren, und fertig ist die Dekoration!*
87. *Sie sind der perfekte Nullinger!*
88. *An Ihnen lässt sich beweisen, wie hohl der menschliche Kopf ist!*
89. *Wissen Sie eigentlich, was Denken ist?*
90. *Wenn Dummheit weh täte, würde man Sie bis nach Feuerland schreien hören!*
91. *Sie sind wieder einmal nur gefühlsduselig!*
92. *Sie tragen keine „Designer-Klamotten", sondern „Container-Klamotten"!*
93. *Schlagen Sie Ihre Frau/Ihren Mann immer noch?*
94. *Sie sind impertinent.*
95. *Sie sind doch eine Marionette der Geschäftsführung!*
96. *Sie können ja auch ohne Alkohol lustig sein!*
97. *Sie Trauerkloß!*
98. *Wann haben Sie zum letzten Mal ein Buch gelesen?*
99. *Können Sie das überhaupt beurteilen?*
100. *Wahrscheinlich wurden Sie bereits als Säugling ausgesetzt?!*

15. Lösungs-vorschläge

Auflösungen zu Seite 41f.:

1. Überraschung /Überrumpelung

Auflösung:

Ich habe das Recht, meine Bedürfnisse vor die der anderen zu setzen.

2. Der Wunsch zu gefallen, das Bedürfnis, geschätzt zu werden

Auflösung:

Ich habe das Recht, meine Schwerpunkte zu setzen, unabhängig davon, welche Rolle ich derzeit ausfülle.

3. Die Furcht, andere zu verletzen

Auflösung:

Ich habe das Recht, die Verantwortung für Probleme anderer abzulehnen.

4. Angst vor Strafe und Verlust

Auflösung:

Ich habe das Recht, meine Gefühle, Bedürfnisse und Meinungen zu äußern.

5. Schuldgefühle

Auflösung:

Ich habe das Recht, an mich selbst zuerst zu denken.

6. Autoritätsabhängigkeit

Auflösung:

Ich habe das Recht, wenn ich Informationen brauche, so lange nachzufragen, bis ich sie habe.

7. Gegenseitigkeit

Auflösung:

Ich habe das Recht zu verlangen, was ich möchte, zu fordern, was mir zusteht.

8. Pflichtgefühl

Auflösung:

Ich habe das Recht, mich nicht gleich in die Pflicht nehmen zu lassen, ich wäge ab.

9. Märtyrertum

Auflösung:

Ich habe das Recht, Anerkennung zu fordern, auf mich aufmerksam zu machen.

10. Geltungsbedürfnis

Auflösung:

Ich habe das Recht, nicht immer top sein zu müssen.

Auflösungen zu Seite 64ff.:

Wie können Sie aktiv „nichts tun"?

Angriff: „Ihre Faulheit ist sprichwörtlich!"

Reaktion: In die Augen schauen, lächeln, ganz normal wegschauen und zur Tagesordnung zurückkehren.

Angriff: „Sie können ja auch ohne Alkohol lustig sein!"

Reaktion: Lächeln, nicken, leicht verwundert den Kopf schütteln, weitergehen.

Angriff: „Sie sind impertinent."

Reaktion: Lange in die Augen schauen, den Kopf schütteln, als ob sie nicht fassen können, dass Sie sich so geirrt haben in Ihrem Gegenüber. Achseln zucken (nach dem Motto: Da ist Hopfen und Malz verloren) und zur Tagesordnung zurückkehren.

Werfen Sie einen anderen Ball zurück!

Angriff: „Sie haben keine Ahnung!"
Antwort: „Seitdem das Benzin ständig teurer wird, fahre ich viel öfter mit dem Fahrrad."
Angriff: „Sie tragen keine ‚Designer-Klamotten', sondern ‚Container-Klamotten'!"
Antwort: „Schön, dass endlich der Sommer vor der Tür steht."
Angriff: „Sie arbeiten doch nur für den Papierkorb."
Antwort: „Die Steuern sollten noch viel mehr gesenkt werden."

Antworten Sie mit der kürzesten Antwort der Welt!

Angriff: „Sie sprechen wieder einmal in Rätseln."
Antwort: „Kolossal!"
Angriff: „Ein Tritt – und schon bewegen Sie sich!"
Antwort: „Nein, so was!"
Angriff: „Wenn du dein Wissen den Russen preisgibst, wirft die das um 30 Jahre zurück!"
Antwort: „Sag nur!"

Reden Sie Nonsens!

Angriff: „Obwohl Sie braune Haare haben, benehmen Sie sich wie eine Blondine!"
Antwort: „Morgenstund hat Gold im Mund."
Angriff: „Sie haben wohl den Anschluss verpasst?"
Antwort: „In allen vier Ecken muss Liebe stecken."
Angriff: „Sie sind doch ein „Homo-valium."
Antwort: „Es rauscht im Tal der Wasserfall, rauscht nichts mehr, ist das Wasser all."

120

Verstehen Sie absichtlich nichts!
Angriff: „Ihr Konzept ist farblos und langweilig.“
Antwort: „Was genau verstehen Sie unter ‚farblos‘?“
Angriff: „Sie sind absolut unfähig!“
Antwort: „Was meinen Sie konkret mit ‚unfähig‘?“
Angriff: „Sie sprechen wieder einmal in Rätseln.“
Antwort: „Was meinen Sie mit ‚in Rätseln sprechen‘?“

Stimmen Sie zu!
Angriff: „Das ist doch bescheuert!“
Antwort: „Wenn du dich jetzt wohler fühlst, bin ich gerne bescheuert.“
Angriff: „Sie sind absolut unfähig!“
Antwort: „Wenn es Ihnen hilft, stimme ich Ihnen zu.“
Angriff: „Sie bringen es nie zu etwas!“
Antwort: „Ich stimme Ihnen zu, wenn es Ihnen jetzt besser geht.“

Machen Sie ein unerwartetes Kompliment!
Angriff: „Ihr Vortrag war zum Einschlafen.“
Antwort: „Wie schön Sie die Worte aneinander reihen können.“
Angriff: „Sie plappern – wie immer – hohle Phrasen.“
Antwort: „ Ich bewundere Ihre Weisheit.“
Angriff: „Sie machen Ihren blonden Haaren alle Ehre.“
Antwort: „Wie wunderbar Sie formulieren können!“

Kontern Sie empathisch!
Angriff: „Wissen Sie eigentlich, was Denken ist?“
Antwort: „Sie sind nicht zufrieden.“
Angriff: „Das ist doch ziemlicher Blödsinn, nicht wahr?“
Antwort: „Sie sind enttäuscht.“
Angriff: „Haben Sie Tomaten auf den Augen?“
Antwort: „Sie haben etwas anderes erwartet.“

Drücken Sie Ihr Bedauern aus!

Angriff: „Ihre Faulheit ist sprichwörtlich!"

Antwort: „Es tut mir Leid, dass Sie das so sehen."

Angriff: „Sie arbeiten doch nur für den Papierkorb!"

Antwort: „Schade, dass Sie das so sehen."

Angriff: „Sie Einfaltspinsel!"

Antwort: „Ich finde es bedauerlich, dass Sie dieser Meinung sind."

Intervenieren Sie paradox!

Angriff: „Du rauchst ganz schön viel!"

Antwort: „Ja, die bei Camel müssen wegen mir schon Überstunden machen!"

Angriff: „Du trinkst ganz schön viel!"

Antwort: „Ja, die bei Jägermeister haben wegen mir schon Lieferschwierigkeiten!"

Angriff: „Du bist immer so unfreundlich!"

Antwort: „Wo ich auftauche, gefriert die Luft."

Finden Sie Ihren persönlichen Vorteil!

Angriff: „Sie haben wohl den Anschluss verpasst?!"

Antwort: „Zumindest habe ich die Wartezeit genutzt."

Angriff: „Als Hirn verteilt wurde, haben Sie sich wohl als Letzter gemeldet."

Antwort: „Ich habe mich wenigstens überhaupt gemeldet."

Angriff: „Offensichtlich brauchen Sie Ihren Kopf nur zum Schminken."

Antwort: „Ich kann ihn wenigstens zu irgendetwas gebrauchen."

Geben Sie indirekt Kontra!

Angriff: „Wenn Dummheit weh täte, würden Sie schreien."

Antwort: „Ach, deshalb machen Sie einen solchen Lärm."

Angriff: „Blöder als Sie kann man sich doch kaum anstellen."

Antwort: „Ich sehe jemanden in meiner unmittelbaren Nähe."

Angriff: „Gibt's das Sakko auch in Ihrer Größe?"

Antwort: „Sie nehmen das Wort Größe in den Mund?"

Geben Sie vergleichend Kontra!

Angriff: „Sie sind gefühllos."

Antwort: „Besser gefühllos als geschmacklos!"

Angriff: „Sie sind aggressiv!"

Antwort: „Besser aggressiv als fad!"

Angriff: „Sie sind geschmacklos!"

Antwort: „Besser geschmacklos als taktlos!"

Kontern Sie mit Gegenfragen!

Angriff: „Kapieren Sie selbst, was Sie da sagen?"

Antwort: „Was veranlasst Sie zu dieser Frage?"

Angriff: „Sie halten sich wohl für ziemlich wichtig?"

Antwort: „Worauf gründen Sie Ihre Vermutung?"

Angriff: „Haben Sie eigentlich Abitur?"

Antwort: „Was hängt für Sie davon ab?"

Kontern Sie mit „Stimmt genau"!

Angriff: „Das ist totaler Schwachsinn!"

Antwort: „Stimmt."

Angriff: „Auch davon verstehen Sie nichts!"

Antwort: „Exakt."

Angriff: „Sie sind eine Transuse!"

Antwort: „Ganz genau."

Auflösungen zu Seite 101ff.:

Auflösung der 1. Strategie: Flirten
Gegentaktik: Sich kurz und höflich für die Komplimente bedanken und zur Sache kommen.

Auflösung der 2. Strategie: Diminutive
1. Gegentaktik: Stellen Sie sich selbst vor, indem Sie Ihren Namen nennen: „Ich bin Magda Schneider und begrüße die Herren der Firma XY sehr herzlich."
2. Gegentaktik: Ignorieren
3. Gegentaktik: Ganz unbefangen Ihren Gesprächspartner auch mit „mein Lieber" anreden.

Auflösung der 3. Strategie: Übertriebene Galanterie
Gegentaktik: Lassen Sie sich helfen, ohne in die Rolle der Hilfsbedürftigen zu fallen. Dies drücken Sie körpersprachlich aus, indem Sie es zum Beispiel ganz selbstverständlich finden, dass die Männer für Sie „springen". Wenn Ihnen der Sinn nach Humor steht, dann fragen Sie den Super-Galanten: „Sind Sie als Butler noch zu haben?"

Auflösung der 4. Strategie: Klischees benutzen
Eine Gegentaktik ist manchmal schwer, denn es ist schwierig, aus diesen Schubladen herauszukommen. Manchmal sogar unmöglich. Hier kann gesunde Selbstironie eine Lösung sein: „Ja, ja Frauen und Technik, eines der beliebtesten Klischees überhaupt. Kommen wir zum Thema zurück." Dabei schauen Sie ein wenig mitleidig, weil Sie es ärmlich finden, dass der Gegner so billige „Schubladisierungen" nötig hat.

Auflösung der 5. Strategie: Niedrige Dienste
Gegentaktik: Sollten durch den Ranghöheren keine Repressalien entstehen, dann bleiben Sie doch einfach sitzen und ignorieren Sie das Anliegen. Das machen Männer auch oft so, sie überhören ganz bewusst Dinge, die ihnen nicht gefallen.
Sollten Sie sich Überhören nicht leisten können, dann delegieren Sie den Kaffeewunsch an die Sekretärin des Ranghöheren. Das machen Sie bitte vom Telefon im Raum aus, damit die Konferenz nicht ohne Sie weiterlaufen kann. Falls kein Telefon im Raum ist, öffnen Sie lediglich die Tür zum angrenzenden Büro und strecken den Kopf durch den Türspalt. Dabei äußern Sie die Bitte laut und vernehmlich! Auch hierdurch verhindern Sie, dass in Ihrer Abwesenheit weiter verhandelt wird.

Auflösung der 6. Strategie: Herablassende Bemerkungen
Gegentaktik: Überhören, Überhören, Überhören.
Haben Sie allerdings das Gefühl, dass Sie durch Schweigen an Status verlieren, dann schauen Sie sich Ihren Gegner ruhig an und antworten Sie: „Lassen Sie uns zur Sache zurückkehren, lieber Kollege."

Auflösung der 7. Strategie: Derber Humor
1. Gegentaktik: Falls Sie verunsichert werden sollen: Überhören.
2. Gegentaktik: Falls Sie spüren, dass Sie „gleichwertig" sind: Fragen Sie, wie Sie die Bemerkung verstehen sollen. War die Bemerkung nicht gegen Sie gerichtet, dann entschuldigt sich der andere meistens. War sie doch gegen Sie gerichtet, kommt oft die Bemerkung: „Gott, bist du humorlos!" Oder: „Ich habe doch nur Spaß gemacht!" Sie antworten dann: „Ich auch."

Auflösung der 8. Strategie: Unsachliche persönliche Fragen

Gegentaktik: Hier lächeln Sie wieder einmal unverbindlich (nicht das „Habt-mich-lieb-Lächeln") und stellen ganz neutral die Frage: „Aus welchem Grund fragen Sie?" Wird jetzt nur ausweichend gemurmelt, kehren Sie zur Sache zurück.

Auflösung der 9. Strategie: Weibliches Helfersyndrom ausnutzen

Gegentaktik: Hinschauen und gegebenenfalls Nein sagen! Aufdecken. Selbst klare Forderungen stellen.

Auflösen der 10. Strategie: Wütend werden

Gegentaktik: Stellen Sie sich vor, es würde sich bei dem „Brüller" um ein Kind handeln, und behandeln Sie ihn auch so. Spielen Sie die Ruhige, Klare, Unbeeindruckte – auch wenn Ihnen nicht danach ist.

Literaturhinweise

Berckham, Barbara: Die etwas intelligentere Art, sich gegen dumme Sprüche zu wehren. München 1998

Birkenbihl, Vera F.: Kommunikationstraining. Zwischenmenschliche Beziehungen erfolgreich gestalten. 21. Auflage. München 1999

Birkenbihl, Vera F.: Rhetorik. Redetraining für jeden Anlass. 5. Auflage. Berlin 2000

Carnegie, Dale: Rede – Die Macht des gesprochenen Wortes. Grünberg 1990

Gray, John: Männer sind anders, Frauen auch. München 1993

Langer, Inghard, Schulz von Thun, Friedemann, Tausch, Reinhard: Verständlichkeit. 5. Auflage. Basel 1993

Mohl, Alexa: Auch ohne daß ein Prinz dich küsst. Wege zum Erfolg – Kommunikationsmethoden und NLP-Lernstrategien. Ein Lernbuch für Frauen. Paderborn 1994.

Pöhm, Matthias: Nicht auf en Mund gefallen. 2. Auflage. Landsberg 1998

Scheerer, Harald: Reden müsste man können. 7. Auflage. Offenbach 1996

Scheerer, Harald: Wie Sie durch Ihr Sprechen gewinnen. München 1983

Schulz von Thun, Friedemann: Miteinander reden. 3 Bände. 4. Auflage. Reinbek 2001

Tannen, Deborah: Job-Talk. Wie Frauen und Männer am Arbeitsplatz miteinander reden. Hamburg 1995

Thiele, Albert: Die Kunst zu überzeugen. 2. Auflage. Düsseldorf 1990

Vester, Frederick: Denken, Lernen, Vergessen. Was geht in unserem Kopf vor, wie lernt das Gehirn, und wo lässt es uns im Stich? Neuauflage. München 1998

Stichwortverzeichnis